W9-AZR-591

Révolutions

Du même auteur

Le Monde d'après. Une crise sans précédent (avec Gilles Finchelstein), Plon, coll. « Tribune libre », 2009 ; Hachette Littératures, coll. « Pluriel », 2009.

Matthieu Pigasse

Révolutions

PLON

www.plon.fr

ISBN : 978-2-259-21722-4

« Je continue à croire que ce monde n'a pas de sens supérieur. Mais je sais que quelque chose en lui a du sens, et c'est l'homme, parce qu'il est le seul être à exiger d'en avoir. »

Albert Camus, *L'Homme révolté*.

Avant-propos

« *The time is out of joint.* » (Shakespeare, *Hamlet*).

Le temps est hors de ses gonds, s'accélère, se disloque, et le monde est en train de vivre une extraordinaire révolution.

Révolution qui a vu en moins de dix ans les dominés d'hier devenir les dominants, les anciennes puissances colonisatrices perdre le pouvoir au profit des anciens pays colonisés, l'Occident céder le contrôle financier du monde aux pays émergents. Aux pays émergés, plutôt, pleins de vigueur et de croissance, face aux vieux pays immergés, au sens propre du terme, avec leurs économies sous l'eau et irrésistiblement tirées vers le fond par le poids écrasant de leurs dettes gigantesques.

J'ai décidé d'écrire ce livre pour rendre compte de ces bouleversements. Pour rendre compte aussi du risque de marginalisation d'une Europe sans croissance, sans espoir, sans projet, sans institutions adaptées, sans dirigeants politiques à la hauteur des enjeux. Avec les crises pour seul horizon et incapable d'offrir à sa jeunesse un autre avenir que celui, sinistre et terrifiant, des trois « té » : inégalité, précarité, pauvreté. « *No future* », disaient les punks à la fin des années 1970. « *No future* », clament aussi à leur façon, en campant sur les places, tous les indignés. Car c'est bien un sentiment de révolte, avec le risque de violence l'accompagnant, qui monte contre un système où le déclassement social devient la norme, où les pauvres deviennent chaque jour plus pauvres et les riches plus riches, où le prix des logements chasse les classes moyennes des centres-ville, où les salaires stagnent et où les diplômes ne servent plus à rien. Un système dont le seul objectif semble être d'augmenter encore les privilèges de ceux qui en ont déjà trop et qui affichent ouvertement leur mépris pour les « petits » et étalent avec indécence leur luxe, leur Rolex et leur nuit du Fouquet's. Mais la nuit du Fouquet's porte en elle les germes d'une nouvelle nuit du 4 Août.

Un livre pour « rendre compte », mais aussi pour tenter de rendre espoir. Face à la crise économique, financière, politique, morale, face à cette crise globale que l'Europe connaît, le temps est venu des révolutions, le temps est venu de renverser les valeurs. De casser tous les conservatismes et les corporatismes. De promouvoir le risque face à la rente, le salaire face aux dividendes, le travail face à l'héritage, l'argent du talent face à la fortune familiale, la mobilité sociale face à l'immobilisme, le dynamisme de la jeunesse face au vieillissement de la population. Faire cette révolution est devenu une urgence et le seul moyen de sortir l'Europe de la profonde dépression dans laquelle elle se trouve. Faire au plus vite cette révolution est l'unique chance de redonner à l'Europe, collectivement, mais aussi individuellement, à chacun de ses citoyens, la possibilité de reprendre en main son destin et le pouvoir de changer sa vie.

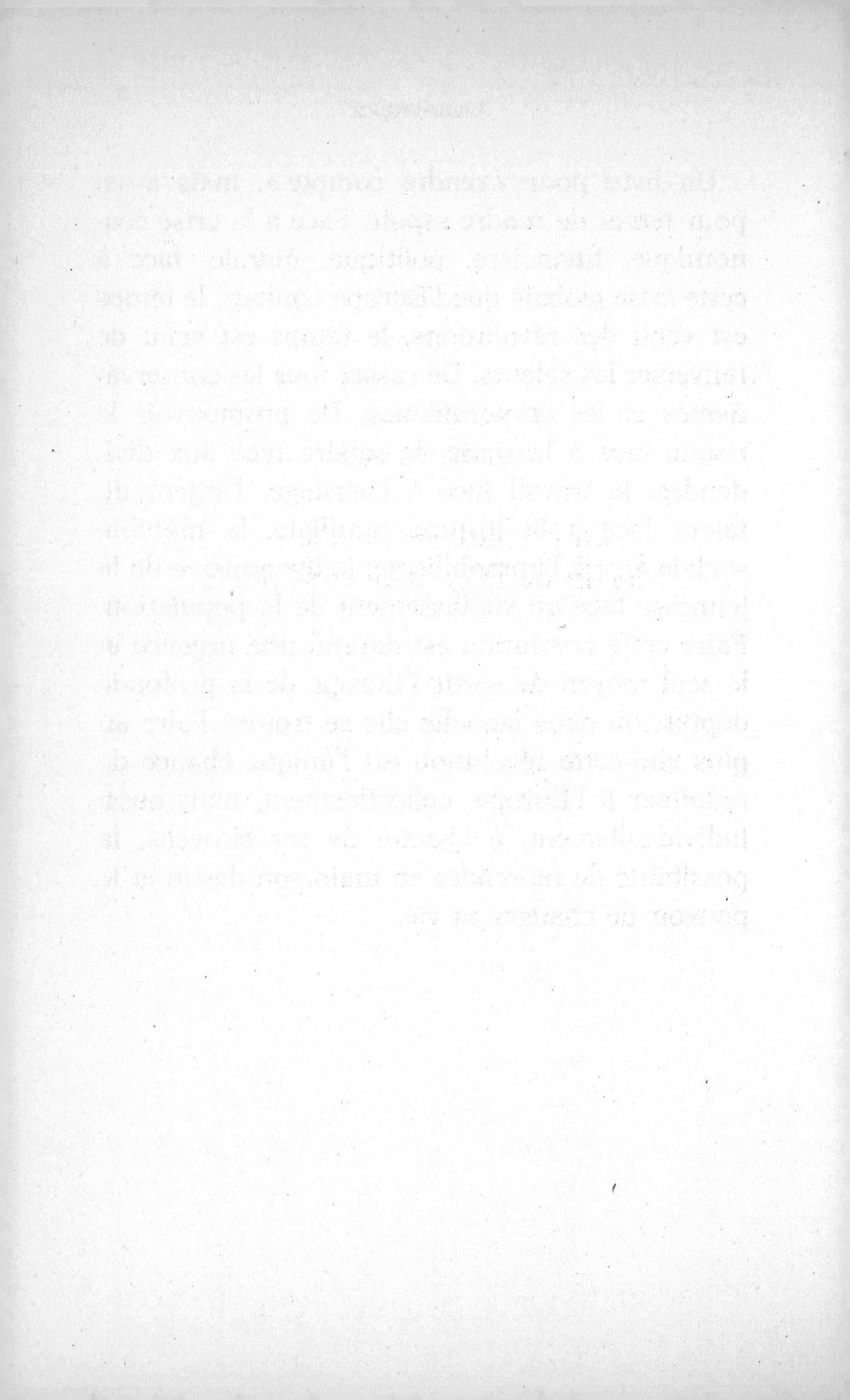

PREMIÈRE PARTIE

La révolution en cours : la fin de l'âge d'or européen

La première révolution qui est en cours, au sens presque astronomique du terme, c'est la fin de la parenthèse ouverte au XVIe siècle, période durant laquelle l'Europe, avec une population limitée, un petit territoire, a réussi à dominer le monde. Cette parenthèse est en train de se refermer.

Comme le souligne Paul Kennedy dans son livre *Naissance et déclin des grandes puissances*, rien ne prédisposait l'Europe à tenir ce rôle. A l'époque, de grands empires, chinois, ottoman, moghol, vastes et puissants, se partageaient le monde alors que l'Europe était divisée, morcelée, et que sur ce petit territoire aucune puissance ne l'emportait sur l'autre. Et c'est paradoxalement cette désunion qui a fait la force de l'Europe. La rivalité entre les pays a entraîné une course à l'armement, qui a nécessité le développement de moyens financiers, d'où l'essor du système bancaire moderne et la recherche de nouvelles ressources et de métaux précieux, et favorisé l'innovation technologique. Avec une population marginale à l'échelle du monde, sans ressources propres, l'Europe a réussi à dominer le monde par l'innovation et la maîtrise de la technologie. Son dynamisme et sa rapidité de mouvement l'ont alors emporté sur les grands empires devenus immobiles, paralysés par leurs certitudes et leur organisation bureaucratique.

Non seulement nous sommes en train de vivre la fin de cet âge d'or européen, mais l'Europe est en passe d'être marginalisée. Cette Europe qui a été capable de renverser des rois, de mener des révolutions, de découvrir et de conquérir le monde, au sens propre du terme, se retrouve aujourd'hui en panne complète. Résignée, abattue, sans horizon, sans ambition, sans espoir, sans idéologie, incapable de donner du sens, de trouver du sens.

Ce ne sont pas seulement les autres qui avancent vite, c'est nous qui n'avançons plus. Les tendances de long terme nous sont durablement défavorables. L'Europe est confrontée à un ralentissement tendanciel de la croissance et de l'innovation, à l'opposé exact de ce que connaît une bonne partie du reste du monde. Ce décalage sur longue période est très préoccupant. Un incroyable mouvement de rattrapage des pays émergents – qui ont en réalité émergé depuis longtemps – est à l'œuvre : 8 à 10 % de croissance annuelle en Asie, en Afrique ou en Amérique latine, contre 1 à 2 % au plus en Europe. Les pays émergés croissent de manière exponentielle. Ils vont nous rattraper et nous doubler très rapidement. La dynamique est une chose, l'effet de taille en est une autre. Le plus menaçant, pour une Europe morcelée, divisée, c'est de voir se reconstituer de grands empires économiques et politiques.

L'Europe est en voie de déclassement. Car la crise, contrairement à ce que l'on entend dire le plus souvent, n'est pas une crise de l'économie mondiale, ce n'est pas une crise de la finance mondiale ou du système dans son ensemble, c'est d'abord et avant tout une crise européenne. Une crise du modèle de croissance européen, une crise du modèle européen.

Une crise européenne

C'est une erreur, doublée d'une dangereuse illusion, de croire que la crise de l'Europe trouve son origine dans la crise économique mondiale, elle-même issue de la crise américaine des *subprimes*. Cette dernière a certes servi de déclencheur puis d'accélérateur, mais la crise européenne aurait fini par survenir en tout état de cause, même sans l'éclatement de la bulle des crédits immobiliers aux Etats-Unis. La crise de l'Europe est d'abord une crise du surendettement, public et privé. Et le paradoxe extraordinaire, c'est que ce surendettement résulte directement de la réussite initiale de l'euro. Nous risquons ainsi de mourir de notre succès. Deux phénomènes ont fondé le succès de la zone euro depuis son instauration, en 1999. Le premier, c'est la crédibilité de sa politique monétaire, qui a permis une baisse historique des taux d'intérêt, et le second, c'est la disparition des risques de change au sein de la zone avec la fin des fluctuations entre les monnaies nationales européennes. Or, ces deux éléments financiers *a priori* très positifs sont précisément ceux qui ont provoqué, précipité, le mouvement de surendettement en Europe qui, aujourd'hui, la conduit au bord de la faillite.

Revenons rapidement sur l'histoire de la crise.

A la fin de 2007, et plus encore en 2008, l'Europe est touchée par une première vague. Elle subit les conséquences de la crise américaine des *subprimes*. On assiste alors à une chute dramatique des crédits distribués dans l'économie : de 8 à 10 % de croissance annuelle selon les pays de 2000 à 2007, la croissance des crédits aux ménages et aux entreprises tombe à zéro en 2009. Tout à coup, le robinet du crédit se ferme, avec toutes les conséquences que cela peut avoir sur la consommation et l'investissement, donc sur la croissance. Le commerce mondial recule, l'activité chute.

Rappelons quelques chiffres. La production industrielle européenne s'effondre : rapportée à un indice de 100 en 2002, elle s'établissait à 115 en 2007, pour plonger à 92 en 2009. Parallèlement, le commerce international se grippe totalement : les exportations mondiales, qui progressaient de 15 % par an entre 2002 et 2008, chutent de 30 % en 2009.

Mais la deuxième vague, la plus forte, toujours à l'œuvre aujourd'hui, qui se forme fin 2009 est, elle, spécifique à l'Europe. Elle trouve d'abord son origine, répétons-le, dans le succès de la politique monétaire européenne.

Trop d'argent pas cher

Grâce à une banque centrale unique et crédible, qui inspirait confiance aux investisseurs du monde entier, les taux d'intérêt avaient été orientés très fortement à la baisse partout dans la zone euro dans les premières années ayant suivi le lancement de la monnaie unique. Ils ont convergé vers les taux d'intérêt du meilleur élève de la classe européenne, l'Allemagne.

Les taux d'intérêt à court terme, c'est-à-dire les taux d'intérêt à trois mois, s'établissaient ainsi entre 15 et 20 % en Europe du Sud en 1990, ils tombent à 3 % en 2008. Même chose pour les taux d'intérêt à long terme, à dix ans : situés entre 15 et 22 % en 1990, ils chutent autour de 5 % au cours des années 2000. La conséquence a été immédiate : citoyens et entreprises ont cherché à profiter de l'effet d'aubaine, à bénéficier d'un coût du crédit historiquement bas, et ont emprunté à tout-va pour s'acheter des voitures ou des maisons... Ont suivi, comme avec toute drogue, des phénomènes d'accoutumance et de dépendance.

D'où cette explosion de l'endettement privé en Europe, celui des ménages et des entreprises. En dix ans, de l'introduction de l'euro en 1999 à 2009, il est passé de 120 % du PIB en Espagne à 225 %, de 170 % à 250 % au Portugal, de 150 % à 330 % en Irlande et de 55 % à 120 % en Grèce... Rapporté au PIB, cela signifie donc que l'endettement privé a crû en dix ans de deux à trois fois plus vite que les revenus, que la richesse nationale. Cette ivresse de crédit a évidemment soutenu la croissance européenne pendant dix ans, mais de façon totalement factice et artificielle, tout en fabriquant de gigantesques bulles spéculatives, notamment dans le secteur immobilier. Les mises en chantier en sont une bonne illustration : elles doublent en Espagne entre 1999 et 2006 et font plus que doubler en Irlande sur la même période... alors que la population est quasiment stable. La moitié du ciment européen était alors consommé en Espagne. Les prix de l'immobilier progressaient de 15 à 20 % par an dans les pays d'Europe du Sud, tandis que la croissance ne dépassait pas les 3 à 4 %...

Ces deux phénomènes – la croissance très rapide de la dette, sans lien avec l'économie réelle, et l'apparition de bulles spéculatives dans l'immobilier notamment – auraient dû retenir l'attention. Et pourtant, tout le monde a laissé faire : les dirigeants politiques nationaux, bien sûr, mais aussi Bruxelles et la Banque centrale européenne (BCE). Pourquoi ? Parce que cela convenait à tout le monde. Parce que se doper à la dette était la seule façon de maintenir une croissance suffisante dans une Europe sans ressort. Il y a eu une espèce de non-dit absolu pendant toute cette décennie, consistant à tolérer, à encourager même, l'usage de cette drogue pour offrir aux citoyens des paradis artificiels que la réalité économique ne pouvait leur donner. Les dirigeants européens ont préféré fermer les yeux de peur de casser ce moteur de croissance-là. Par facilité, par intérêt, par lâcheté. Nous nous sommes collectivement menti à nous-mêmes.

Les citoyens sont les moins coupables, qui rêvent forcément de posséder ce que leur montre la télévision à longueur de journée. Le mensonge des dirigeants politiques a consisté à leur dire que c'était possible parce que nous étions riches, alors que le roi était nu, que nous étions déjà pauvres.

Mais voilà, comme dirait Warren Buffett, « quand la mer se retire, on voit ceux qui se baignaient nus ». Quand la bulle a fini par éclater, quand le marché s'est retourné, quand la croissance s'est arrêtée, quand les banques n'ont plus pu prêter, l'insolvabilité est apparue. Cela s'est traduit par une explosion de ce qu'on appelle les défauts des ménages et des entreprises, c'est-à-dire leur incapacité à rembourser leurs prêts. En Espagne, le taux de défaut sur les prêts immobiliers a ainsi été multiplié par six en un an, de 2007 à 2008. En Irlande, le taux de défaut a été multiplié par douze de 2007 à 2010... La conséquence dans ces deux pays comme dans le reste de l'Europe a été une crise profonde du système bancaire, allant jusqu'à son explosion en Irlande, nécessitant l'intervention des Etats pourtant eux-mêmes déjà surendettés. Nous y reviendrons.

Trop d'argent facile

La deuxième origine de cette crise spécifiquement européenne, après la crédibilité de la politique monétaire et la baisse des taux d'intérêt, c'est la disparition du risque de change. La création d'une zone monétaire unique et la libre circulation des capitaux se sont traduites par d'importants transferts financiers au sein de la zone : en l'absence de risque de change, l'Europe du Nord a prêté massivement à l'Europe du Sud. Les placements des pays du Nord – Allemagne, Benelux, Autriche, Finlande… – dans le reste de l'Europe sont passés de 300 milliards d'euros en 1999 à 2 000 milliards en 2009. Dans le même temps, la dette nette des pays de l'Europe du Sud à l'égard du Nord a progressé dans les mêmes proportions. *A priori*, ces transferts importants du Nord vers le Sud, des riches vers les pauvres, étaient une bonne chose.

Cette épargne arrivant massivement en Espagne, au Portugal, en Grèce aurait pu, aurait dû en effet être investie de manière productive, de façon à y favoriser les exportations et à faire croître l'activité. A terme, les flux financiers entre le Nord et le Sud auraient dû ainsi se rééquilibrer. Mais ils ne se sont jamais rééquilibrés, les pays du Sud sont restés déficitaires vis-à-vis du Nord. Pourquoi ? Tout simplement parce que ces pays, au lieu de s'industrialiser grâce aux injections de capitaux venus du Nord, se sont désindustrialisés. Ils ont cédé à la facilité, profitant de cette épargne tombée du ciel pour vivre dans l'illusion de la prospérité et de l'élévation du niveau de vie. Ils ont utilisé cet argent non dans des activités productives mais dans tout ce qu'on appelle les activités domestiques non exportables : la construction, la distribution, l'immobilier, l'hôtellerie, les loisirs, les transports, les services à la personne... L'emploi dans ces secteurs a par exemple progressé de 50 % entre 1999 et 2009 au Portugal et en Espagne ! Mais ce sont des secteurs à faible valeur ajoutée dans l'économie, à la capacité exportatrice proche de zéro, ce qui veut dire, au bout du compte, très peu de création de richesse. L'emploi industriel est passé au Portugal de 32 % à 26 % de l'emploi total entre 1999 et 2010, de 30 % à 20 % en Espagne, en Irlande de 28 % à 20 %. Bref, aux Allemands, la fabrication de voitures ou de machines-outils, aux Espagnols, la construction d'hôtels en bord de mer.

C'est le paradoxe ultime : pendant que les pays d'Europe du Nord soignaient leur compétitivité et leur industrie, ceux du Sud les négligeaient et se cantonnaient à des activités inadaptées à la compétition économique mondiale. On voit bien là ce qu'il y a de spécifiquement européen dans la crise européenne. On voit bien là que les déséquilibres économiques de l'Europe ont des causes internes, qui ne proviennent pas des Etats-Unis, de Chine ou d'ailleurs. Ils résultent d'un dysfonctionnement tragique de l'Europe lié à l'instauration inachevée de l'euro, à ses succès et à ses insuffisances.

Ce qui vaut pour la dette privée vaut aussi pour la dette publique, avec l'utilisation systématique par la plupart des Etats européens du recours à la dette à des fins de dépenses courantes et non d'investissement. Et ce, bien avant que la crise des *subprimes* ne finisse par faire déborder le vase.

Et voilà l'Europe totalement surendettée. Quelques chiffres édifiants concernant l'évolution de la dette totale, qui est la somme de la dette publique (des Etats) et privée (des ménages et des entreprises) : de 1990 à 2008, la dette totale bondit en Espagne de 120 % à 360 %, en France de 150 % à 330 %... L'envolée d'une dette improductive est dans les pays industrialisés, depuis vingt ans, la mère de tous les maux. Spécialement en Europe, où elle a servi à entretenir un rêve de prospérité et à maintenir une illusion de puissance et de richesse.

En économie, *there is no free lunch*, il n'y a pas de déjeuner gratuit. Il faut payer un jour l'addition. Et ce moment est venu. Les pays européens surendettés se trouvent confrontés exactement aux mêmes difficultés qu'un ménage surendetté. L'Europe tout entière n'a plus assez de revenus et se retrouve dans l'incapacité de rembourser les emprunts qu'elle a contractés pour permettre à ses citoyens de maintenir artificiellement leur niveau de vie. On redécouvre tout à coup qu'un Etat, comme un ménage, peut faire faillite. Que des pays comme la Grèce, le Portugal, l'Espagne, mais aussi l'Italie ou la France, peuvent faire faillite. Comme l'Argentine a fait faillite en 2001.

Le spectre de la faillite

Un Etat industrialisé, supposé riche, peut donc faire faillite. On avait fini par penser, à tort, que ce sort était réservé à des nations pauvres, en voie de développement, en Afrique, en Asie ou en Amérique du Sud. On se rend compte aujourd'hui que des Etats européens peuvent aussi s'effondrer financièrement.

Une histoire ancienne

Les économistes américains Carmen Reinhart et Kenneth Rogoff ont pourtant montré dans leur livre *Cette fois, c'est différent, huit siècles de folie financière* que le défaut de paiement d'un Etat sur sa dette, le défaut souverain, bref, la faillite, n'avait rien d'exceptionnel. Au contraire.

Sur une période récente et relativement courte, de 1975 à 2006, ils relèvent ainsi 71 faillites d'Etat. Dont celles de grands pays comme l'Argentine en 2001 ou la Russie en 1998. Si on considère le XXe siècle dans son ensemble, l'Inde a fait trois fois défaut, la Chine deux fois, l'Argentine cinq, le Brésil sept... En remontant encore plus loin dans le temps, la France a fait huit fois défaut depuis l'an 1000, tout comme l'Allemagne. Le dernier défaut de la France remonte aux guerres napoléoniennes, en 1812. Reinhart et Rogoff notent également, ce qui est, sinon amusant, du moins instructif, que les deux pays champions de la faillite au XIXe siècle ont été la Grèce et l'Espagne !... La Grèce a fait quatre fois défaut au XIXe siècle, l'Espagne sept fois. C'est elle qui remporte la médaille d'or, avec treize défauts depuis sa création. Seul un petit groupe de pays n'ont jamais fait faillite : les Etats-Unis, le Canada, la Nouvelle-Zélande, l'Australie, la Belgique et le Royaume-Uni.

L'histoire financière mondiale montre donc que le défaut souverain est quelque chose de très classique, de très répandu. Mais il y a dans la crise actuelle et dans les difficultés financières de plusieurs grands pays occidentaux quelque chose de fondamentalement neuf, une dimension totalement inédite. « Cette fois, c'est différent », pour reprendre le titre du livre de Reinhart et Rogoff. Pourquoi ? Parce que pour la première fois le risque est systémique, c'est-à-dire qu'il fait peser un risque financier et économique global, sur tous les pays du monde. Jusqu'à présent, les faillites d'Etat avaient certes causé de gros dégâts financiers, mais finalement relativement isolés, et donc supportables. Avec l'interpénétration des économies et des marchés, avec ce village qu'est devenu le monde, la faillite d'un Etat peut en provoquer d'autres. Ce qui est nouveau, c'est qu'il existe une menace de contagion rapide, fulgurante, aux conséquences potentiellement terribles. La ruine de tel ou tel Etat déclenche celle d'un autre, qui en entraîne un ou deux autres dans sa chute. Et, à la fin, même les pays les plus solides financièrement s'effondrent. Tout le monde se retrouve à terre. La mondialisation, cela fonctionne dans les deux sens. Pour le meilleur, quand la croissance de l'un stimule la croissance de l'autre, mais aussi pour le pire. C'est le cas aujourd'hui avec les menaces de faillites d'Etat. C'est la mondialisation de la ruine, la globalisation de l'effondrement.

Le risque d'un tel effet domino est bien sûr renforcé dans la zone euro, où les pays sont intégrés, totalement arrimés économiquement, commercialement et financièrement les uns aux autres, et où le défaut de l'un aurait des conséquences dramatiques sur les autres, ne serait-ce que par la fragilisation de l'ensemble du système bancaire européen que cet événement provoquerait. Mais l'économie et la finance sont aujourd'hui tellement mondialisées qu'un défaut significatif en Europe, ou de l'Europe, aurait aussi des répercussions mondiales, aux Etats-Unis, en Chine, etc.

Un passage par la théorie...

« Faire défaut » signifie que le surendettement d'un pays est tel qu'il n'est plus en mesure d'assurer le remboursement de ses emprunts, soit le paiement des intérêts, soit le remboursement du principal, soit les deux. Et c'est le cas lorsque ses revenus, c'est-à-dire les recettes fiscales, qui sont elles-mêmes fonction de la croissance, deviennent insuffisants pour assurer le paiement de la dette. Soit parce que la dette est hors de contrôle et devient démesurée par rapport aux revenus. Soit parce que le pays ne peut plus réduire ses dépenses, en raison du coût social que cela représente. Soit, enfin, parce que, comme pour un ménage, le revenu s'effondre. Dans ce dernier cas, cela peut provenir d'un licenciement, dans le cas d'un Etat d'une récession.

Arrive alors le moment où ni le ménage ni l'Etat ne sont plus en mesure de payer ni d'honorer leur dette. C'est le défaut, la faillite.

Un pays peut être acculé au défaut soit en raison d'une crise de liquidités, soit d'une crise de solvabilité. L'Europe a connu les deux cas. La crise de liquidités, c'est ce qu'a vécu la Grèce fin 2009, quand le pays n'a soudainement plus eu accès aux marchés financiers, ou alors à des taux d'usure dévastateurs, pour se financer à court terme alors même qu'il avait en théorie, à ce moment-là, suffisamment de revenus, de patrimoine, d'actifs pour rembourser sa dette à terme. Coupé des marchés, sans trésorerie nouvelle, le risque était que le pays se retrouve en défaut sur ses paiements courants, qu'il s'agisse de rembourser ses créanciers antérieurs ou de payer ses fonctionnaires. Tout à coup, plus personne, plus aucun investisseur n'a voulu prêter de l'argent à la Grèce, même à huit jours, de crainte de ne pas être remboursé. La Grèce a été victime d'un accès de défiance brutal et suraigu alors même que la structure de sa dette n'était pas encore catastrophique. Le seul moyen pour un pays de sortir d'une crise de liquidités est de se faire prêter rapidement de l'argent, non par le marché, mais par des institutions internationales, en l'occurrence par le FMI, Bruxelles, la BCE. Pour éviter qu'il ne fasse défaut. Et en attendant que la tension retombe.

Une crise de solvabilité, comme l'a connue l'Irlande par exemple, survient lorsqu'un pays n'a plus la richesse suffisante pour rembourser sa dette à terme. Alors lui prêter de l'argent ne suffit plus, il faut qu'il mette en œuvre des mesures pour restaurer sa solvabilité. Ce qui veut dire faire de « l'ajustement budgétaire » : hausse des impôts, baisse des dépenses, privatisations, etc. Exactement comme un ménage surendetté à qui son banquier dirait : « On veut bien faire un effort de notre côté, mais vous devez en faire un du vôtre pour redevenir solvable. Vous allez vendre une de vos deux voitures, réduire votre consommation, travailler un peu le week-end pour augmenter vos revenus »...

Une crise de liquidités, évidemment, se transforme assez facilement – même si ce n'est pas systématique – en crise de solvabilité. Quand un Etat ne peut plus se financer que dans des conditions très difficiles, à des taux d'intérêt très élevés, les intérêts supplémentaires qu'il va devoir payer vont affecter sa solvabilité à terme. Pire, quand l'Etat éprouve des difficultés à se financer, tout le secteur privé en pâtit puisque les banques vont elles-mêmes se financer à des coûts plus élevés et le répercuter dans les crédits qu'elles accordent aux ménages ou aux entreprises. La croissance en est affectée durablement, la solvabilité aussi. On voit là le cercle vicieux qui conduit d'une crise de liquidités à une crise de solvabilité.

Les « banquiers » des Etats, leurs créanciers, sont de moins en moins des banques au sens propre du terme. Jusqu'au milieu des années 1980, c'était encore la règle. Les banques prêtaient directement de l'argent aux Etats, exactement comme à un ménage. Depuis vingt-cinq ans, avec l'essor des marchés financiers, il y a eu, comme jargonnent les spécialistes, une « marchéisation » de la dette. Les Etats du monde entier ont eu recours au marché financier pour émettre de la dette, c'est-à-dire émettre des obligations avec des échéances qui peuvent être plus ou moins longues, deux ans, cinq ans, dix ans, trente ans ou plus. Ces obligations sont certes toujours initialement achetées par des banques, lors d'adjudications, mais elles sont pour l'essentiel immédiatement revendues à des compagnies d'assurances, des caisses de retraite, ce qu'on appelle les investisseurs institutionnels. Les hommes politiques qui s'en prennent aux spéculateurs qui jouent sur les dettes d'Etat commettent, soit par ignorance, soit par démagogie, un grave et double contresens.

D'abord parce que les compagnies d'assurances ou les caisses de retraite qui achètent des emprunts d'Etat sont tout, sauf des spéculateurs frénétiques. Ils ont des horizons de placement à long terme, qui correspondent aux besoins de leurs clients. Ensuite parce que le marché de la dette d'Etat était, au moins jusqu'à aujourd'hui, considéré comme un marché extrêmement sûr, avec des rendements réguliers et un capital garanti à l'échéance. Pas du tout risqué, pas du tout osé, audacieux et spéculatif, contrairement à des placements en actions, aux rendements beaucoup plus aléatoires.

Les obligations d'Etat, c'était le placement de père de famille par excellence. Rapportant peu, mais très sûr. Rapportant peu, car les emprunts étaient assortis de taux d'intérêt faibles. Très sûr, parce qu'il fallait tout de même pas mal d'imagination à un investisseur, il y a peu de temps encore, pour penser que les Etats-Unis ou l'Espagne risquaient de ne pas rembourser leurs dettes à un horizon de quelques années. C'est pourquoi les caisses de retraite, des compagnies d'assurances achetaient massivement des emprunts d'Etat. C'est pourquoi aussi des banques qui cherchaient à compenser la volatilité d'autres placements plus risqués faisaient de même. Mais aujourd'hui, ces placements réputés très sûrs sont devenus hautement incertains. Ces placements de père de famille sont devenus, dans bien des cas, des bombes à retardement dont cherchent à se débarrasser par tous les moyens ceux qui les possèdent.

Incertains parce que de nombreux pays se retrouvent dans une impasse financière complète. Etranglés, étouffés par leur dette. La différence entre un ménage ou une entreprise en faillite et un Etat en faillite, c'est que, pour les premiers, le créancier a toujours la possibilité de saisir des actifs (la voiture ou la maison achetée à crédit). C'est ce qui s'est produit aux Etats-Unis après la crise des *subprimes,* avec la montée des saisies immobilières. Aux Etats-Unis, mais aussi au Portugal, en Irlande, en Espagne, avec tous les panneaux « Vente après saisie » qu'on peut voir sur les maisons. Pour une entreprise, c'est la même chose : la banque prêteuse peut saisir les locaux, les ordinateurs, les machines. Dans le cas d'un Etat, il est très difficile pour les créanciers de saisir les actifs. Même s'ils peuvent toujours essayer. Et même si cela s'est déjà produit dans l'Histoire. Au XIXe siècle, plusieurs grandes puissances occidentales – elles étaient alors prêteuses – n'ont pas hésité à attaquer militairement les pays qui ne remboursaient pas les emprunts qu'elles leur avaient accordés. Ce fut le cas de la Grande-Bretagne en Turquie et en Egypte au cours des années 1870-1880, ou des Etats-Unis au Venezuela une décennie plus tard. C'est aussi pour un problème de dette non réglée que Terre-Neuve perdit son indépendance au début des années 1930 et fut rattachée au Canada. Mais il n'est pas facile aujourd'hui pour les créanciers étrangers de saisir les actifs d'un Etat. La seule solution pour eux consiste alors à négocier avec l'Etat en défaut, dans le cadre d'une restructuration de la dette, pour essayer d'abandonner le moins de valeur (montant du capital et/ou des intérêts) possible. Restructurer une dette signifie soit abandonner une partie de son montant (une décote ou *haircut* en anglais), soit repousser son remboursement à plus tard, soit réduire le montant des intérêts, soit un mélange de tout cela.

... retour à la pratique

Alors, que s'est-il passé en Europe depuis 2007 ? D'abord on a assisté à une forte dégradation des finances publiques liée d'une part à la crise des *subprimes*, à l'entrée en récession – donc moins de recettes fiscales –, et d'autre part aux plans de relance et de soutien des banques – donc plus de dépenses. Résultat, le déficit budgétaire moyen dans la zone euro s'est creusé de manière exponentielle : de 0,7 % du PIB en 2007 à 6 % en 2010. Il est ainsi passé en France de 2,7 % à 7,1 %, en Espagne d'un excédent de 1,9 % à un déficit de 9,3 %... De son côté, la dette s'est envolée, augmentant de 20 points de PIB en moyenne en trois ans. Elle est passé en France de 64 % à 82 %, en Allemagne de 65 % à 83 %, en Italie de 103 % à 118 %, en Espagne de 36 % à 61 %, en Grèce de 107 % à 145 %... L'Europe s'est retrouvée au bord du défaut de paiement, en raison à la fois d'une dette écrasante mais aussi d'une crise de confiance face à son incapacité à réagir.

La Grèce d'abord

Le premier révélateur du dysfonctionnement de l'Europe a été la Grèce. Rappelons les faits : un nouveau gouvernement, socialiste, arrive au pouvoir en Grèce, le 4 octobre 2009. Ce gouvernement se voit contraint de réviser soudainement le chiffre de déficit budgétaire, volontairement sous-estimé par le gouvernement précédent : le déficit est ainsi révisé de 3,7 % à 12,7 %, ce qui représente un écart énorme, puis à 13,6 % en mai 2010 et à 15,4 % en octobre 2010. Cette révision du déficit a provoqué une profonde crise de défiance vis-à-vis de la Grèce et de sa capacité à contrôler la situation comme vis-à-vis de la fiabilité des comptes et statistiques européens. Mais, plus important, toute une série d'erreurs ont été commises.

La première erreur a été celle du gouvernement grec, qui n'avait pas préparé les marchés financiers à un tel choc, qui a pris tout le monde par surprise, y compris lui-même, et n'avait pas annoncé de mesures de redressement des comptes ni de correction des déficits. En clair, il disait qu'il y avait le feu dans la maison tout en précisant bien qu'il n'avait pas appelé les pompiers. Ce n'est qu'en janvier 2010, deux longs mois après la révision du déficit, que la Grèce annonce un premier plan de redressement, validé par tous mais totalement non crédible, par lequel elle est censée réduire son déficit de 12,7 % du PIB en 2009 à 2,8 % en 2012, soit un ajustement sans précédent dans l'Histoire ! Résultat, le *spread* – l'écart de taux d'intérêt avec l'Allemagne, qui mesure le différentiel de risque entre les deux pays – se creuse fortement et empêche la Grèce de se financer dans des conditions décentes. C'est la crise de liquidités. A partir de décembre 2009, les trois grandes agences de notation commencent à dégrader la note de la Grèce dans des proportions significatives. Cela ne s'arrêtera plus.

La deuxième erreur, la plus grave, a été la lenteur de la réaction européenne. Il aura fallu six mois pour que l'Europe agisse réellement. Trop tard. Pendant ce temps, la Grèce aura été laissée seule face à elle-même, face aux marchés financiers et face aux agences de notation. Il aura fallu attendre mars 2010, alors que les taux grecs avaient déjà explosé, alors qu'on avait déjà laissé s'installer l'idée qu'un Etat de la zone euro pouvait faire défaut et que les mécanismes de solidarité ne joueraient pas, pour que les ministres européens se réunissent enfin mais se contentent seulement de dire qu'ils « soutiendront la Grèce ». Sans autre précision, sans qu'aucune mesure soit annoncée. La Grèce est de nouveau dégradée, les taux d'intérêt continuent à exploser. Dès lors, les plans européens vont se succéder, sans jamais convaincre, toujours en retard, toujours insuffisants : en avril 2010, une aide de 30 milliards d'euros est annoncée, dérisoire au regard des enjeux et notoirement insuffisante, la Grèce est de nouveau dégradée ; le 2 mai 2010, un plan de soutien de 110 milliards est annoncé avec un objectif de réduction du déficit budgétaire à 2,6 % en 2014, c'est là encore insuffisant et irréaliste ; le 9 mai, soit seulement une semaine après, dans une atmosphère d'immense confusion, d'impréparation, de précipitation, un nouveau plan de 750 milliards d'euros est finalement adopté. Entre-temps les taux grecs s'étaient envolés. A l'automne 2009, l'écart de taux avec l'Allemagne, la référence en Europe, était de 2 %. En mai, il s'établissait à plus de 10 %, la Grèce ne pouvait plus se financer.

La troisième erreur a été le choix des politiques économiques mises en œuvre et le choix de l'hyper-austérité, aux conséquences dramatiques. Les mesures d'ajustement budgétaire imposées par Bruxelles et le FMI – baisse de salaire des fonctionnaires et des pensions, réduction du salaire minimum, arrêt complet de l'investissement public, baisse drastique des dépenses publiques, abattement des prestations sociales, etc. – ont un effet terrible sur la croissance, avec des conséquences récessives et sociales épouvantables. Ces mesures visent à restaurer la compétitivité du pays, non sa solvabilité. Elles reposent sur un choix idéologique : la priorité donnée à l'offre et à la baisse des coûts des entreprises, sans prendre en considération le contexte national, économique et social. Elles font peser un risque de rupture à court terme au nom d'un hypothétique redressement à long terme. En trois ans, la Grèce aura connu une récession de plus de 15 %. Ce plongeon de la croissance a autoentretenu la crise : le poids de la dette s'est mécaniquement accru face à un PIB qui se contractait, dégradant ainsi le fameux ratio de dette rapporté au PIB et conduisant le FMI et Bruxelles à exiger de nouvelles mesures d'austérité, aggravant encore la récession et creusant davantage le déficit budgétaire et la dette par rapport au PIB, et ainsi de suite... Quant à la flambée des taux d'intérêt, elle s'est répercutée sur l'ensemble de l'économie, les banques grecques, déjà fragilisées par la baisse de la valeur des emprunts publics qu'elles détenaient en portefeuille, devant se financer à des taux plus élevés encore que l'Etat lui-même. Du coup, leurs crédits aux entreprises et aux ménages ont été faits à des niveaux usuraires, paralysant l'investissement et la consommation, et donc la croissance. Au-delà du cercle vicieux économique, le pays est entré dans un autre cercle vicieux, financier celui-là, dans lequel la crise de la dette souveraine se transforme en crise bancaire et la crise de liquidités en crise de solvabilité. Nationale d'abord, puis internationale, en raison de la chute de la valeur des emprunts d'Etat grecs que les banques françaises ou allemandes possédaient elles aussi en grande quantité. Tout cela explique comment les difficultés, à l'origine limitées, d'un petit pays de la zone euro se sont transformées en crise incontrôlable, gravissime, de toute la zone.

Quels enseignements ? Quand la crise grecque a éclaté en novembre 2009, elle n'était rien d'autre qu'un feu de broussailles, facilement gérable. L'inquiétude ne portait que sur une dette de 300 milliards d'euros, c'est-à-dire pas grand-chose à l'échelle européenne, et concernait un pays ne représentant que de l'ordre de 2 % du PIB européen. Il aurait été facile pour l'Europe de démontrer son existence, son efficacité, sa force, et d'arrêter la crise, en décidant par exemple de garantir, quoi qu'il arrive, la dette grecque. Le message de l'Europe aux marchés aurait dû être que la Grèce, c'est l'Europe, qu'elle ne serait pas abandonnée et que sa dette serait donc garantie. La confiance serait mécaniquement revenue, le marché se serait réajusté, les taux grecs seraient revenus à un niveau normal et il n'y aurait jamais eu de contagion, parce que l'Europe aurait fait la démonstration qu'elle savait agir, vite et bien. Mais l'Europe n'a pas agi. Sans doute pour des raisons politiques et morales (« les Grecs doivent payer »). Surtout par manque de compréhension, manque de vision, manque de réaction des dirigeants européens qui sont passés à côté de l'Histoire. Les dirigeants sont responsables de la crise parce qu'ils n'ont pas su agir à temps ni comprendre ce qui se passait. La lenteur et l'incapacité des Européens à réagir ont eu pour conséquence que ce feu de broussailles est devenu un feu de forêt gigantesque et impossible à arrêter.

L'Irlande ensuite

Le deuxième pays à avoir été atteint par le feu qui gagnait toute l'Europe a été l'Irlande. C'est un cas très différent du cas grec, presque inverse. En Irlande, le point de départ est d'abord une crise bancaire qui ne touche l'Etat et la dette publique que dans un second temps ; la crise est d'abord une crise de solvabilité du pays, qui ne conduit qu'ensuite à une crise de liquidités et le rend incapable de se financer. Mais le résultat final est le même.

Que s'est-il passé ? Les bilans des banques irlandaises avaient explosé au cours des vingt dernières années. Elles avaient accueilli du capital, des placements, venant du monde entier, d'abord parce qu'elles le rémunéraient de manière assez confortable, avec des taux d'intérêt élevés, et ensuite parce qu'il était fiscalement intéressant de placer des capitaux en Irlande. Les banques irlandaises ont ainsi vu les dépôts affluer du monde entier et la taille de leur bilan gonfler, gonfler – exactement comme la grenouille qui veut se faire aussi grosse que le bœuf – jusqu'à représenter 800 % du PIB irlandais ! Plus elles recevaient de dépôts, plus elles reprêtaient dans la foulée. Au reste du monde, mais surtout en Irlande. Entretenant une richesse factice dans le pays et encouragées pour cette raison par le gouvernement irlandais. Le marché du crédit s'étant retourné avec la crise des *subprimes*, l'inquiétude gagnant du terrain à cause de la Grèce, les investisseurs internationaux ont commencé à retirer leur argent des banques irlandaises, qui ont vu leurs ressources s'effondrer alors que leurs engagements restaient inchangés. Un déséquilibre complet, aggravé par le fait que, avec l'éclatement de la bulle immobilière dans le pays, le portefeuille de prêts non performants, c'est-à-dire non remboursés, a lui aussi explosé. Les banques irlandaises se sont retrouvées face à des pertes abyssales, insoutenables, ce qui a contraint Dublin, pour éviter une faillite du système bancaire, donc l'asphyxie totale de l'économie, à un plan de soutien du secteur bancaire d'une ampleur sans précédent : 230 % du PIB ! Du jamais-vu. En comparaison, les autres plans de soutien aux banques, en Europe, après la faillite de Lehman Brothers, avaient représenté entre 30 et 35 % du PIB. En Irlande, l'Etat a décidé de garantir 440 milliards d'euros d'actifs bancaires, de racheter près de

75 milliards d'euros d'actifs pourris, et d'injecter en plus 30 milliards d'euros de capital directement dans les banques pour assurer leur solvabilité. Résultat, cet argent public a fait littéralement s'envoler le déficit irlandais, là encore dans des proportions inouïes. D'un excédent de 0,1 % en 2007, il passe à moins 32 % en 2010 ! Même chose pour la dette publique qui bondit de 25 % du PIB en 2007 à plus de 130 % en 2011.

La conséquence a été la même qu'en Grèce : une explosion des taux d'intérêt, liée à l'inquiétude des prêteurs sur la capacité de l'Etat irlandais à financer dans l'immédiat un déficit de 32 % du PIB et, à plus long terme, de rester solvable et de supporter un tel surendettement. Là encore, comme en Grèce, les dirigeants européens ont laissé traîner les choses. Entre les premières mesures du gouvernement irlandais, à l'automne 2008, et l'aide européenne s'écoulent deux ans d'une lente descente aux enfers. Ce n'est que, en novembre 2010, acculé, au bord du défaut de paiement, que le gouvernement irlandais obtient enfin un plan d'aide européen à hauteur de 85 milliards d'euros, qui vient à la fois en soutien des banques et en soutien budgétaire direct. Mais voilà, les tergiversations du gouvernement irlandais et l'inaction des autorités européennes ont fait perdre vingt-quatre mois. Or, le seul moyen d'empêcher des crises financières de se propager, c'est de réagir très vite et très fort. L'Europe n'a fait ni l'un ni l'autre, elle a laissé l'inquiétude gagner et la défiance l'emporter.

Puis le reste de l'Europe

Face à la paralysie des Européens, semblable à celle d'un lapin pris dans les phares d'une voiture, à leur incapacité à appréhender et à gérer les crises grecque et irlandaise, la défiance des marchés financiers a gagné d'autres pays, chacun dans une situation différente, comme le Portugal, l'Espagne et l'Italie. L'effet de contagion a joué, parce que le mal a systématiquement été traité en retard, de manière incomplète et inappropriée.

Le Portugal n'a pas eu de chance, un peu comme celui qui se fait embarquer lors d'une descente de police simplement parce qu'il se trouve au mauvais endroit au mauvais moment alors qu'il n'a rien à se reprocher. Des banques plutôt saines, pas de bulle immobilière, des finances publiques pas florissantes mais pas catastrophiques non plus. Mais voilà, dans l'état de tension extrême et de suspicion généralisée, la difficulté structurelle du Portugal est apparue aux investisseurs avec une grande acuité. Celle d'une croissance faible parce que le pays ne produit et n'exporte pas grand-chose. Ce qui a conduit forcément des créanciers au bord de la crise de nerfs à s'interroger sur sa solvabilité à terme. Résultat : défiance des investisseurs, hausse des taux d'intérêt, crise de liquidités – on connaît la musique – et, au bout du compte, l'obtention en mai 2011 d'un prêt conjoint de l'Union européenne et du FMI de près de 80 milliards d'euros.

Restent les grands pays que sont l'Espagne et l'Italie. L'Espagne présente un niveau de dette publique qui, malgré une détérioration rapide, est plutôt relativement sain comparé aux autres pays européens. En revanche, elle a subi un choc économique terrible lié à son modèle de croissance basé sur la construction et l'immobilier, qui s'est littéralement effondré. Elle connaît ainsi une récession profonde, qui s'est traduite par une envolée du chômage. Elle a su réagir jusqu'à présent rapidement, en restructurant vite ses banques, notamment en les recapitalisant et en les contraignant à des mouvements de concentration et de fusion pour les rendre plus fortes. Elle a su adresser les bons signaux, prendre les bonnes décisions, au bon moment. Elle reste néanmoins fragile car soumise à un nouveau risque de dérapage de son déficit budgétaire compte tenu de la récession en cours, avec toutes les conséquences possibles sur ses taux d'intérêt et sa capacité à se financer à court terme en cas de crise de défiance des investisseurs.

La faiblesse de l'Italie est d'une autre nature et d'une autre ampleur. Si le pays est l'un des rares en Europe à dégager un excédent budgétaire primaire, c'est-à-dire hors charges de la dette, sa croissance est structurellement faible et son pouvoir politique est longtemps apparu en pleine décomposition. Plus grave, c'est le pays qui, après la Grèce, présente le ratio de dette sur PIB le plus élevé (120 %) mais aussi une dette, en niveau absolu, considérable : près de 2 000 milliards d'euros, à comparer aux 350 milliards d'euros pour la Grèce, 190 milliards d'euros pour le Portugal, ou 710 milliards pour l'Espagne. Tout cela est de nature à créer un climat de défiance généralisée vis-à-vis du pays. Avec la crainte supplémentaire que, si les mécanismes qui ont été en œuvre en Grèce ou en Irlande jouaient en Italie comme en Espagne, les moyens de l'Europe d'endiguer la crise et d'éviter au pays un défaut de paiement manqueraient. Le Fonds européen de stabilité financière (FESF) ne dispose pas de ressources suffisantes et la BCE se retrouve aujourd'hui à la limite de sa capacité d'intervention en matière de rachats d'emprunts d'Etat. La crainte est celle d'une grande rupture dans le cas où l'Italie ou l'Espagne, de nouveau pour des raisons différentes, commenceraient à avoir des difficultés à se refinancer, avec des taux d'intérêt plus élevés, alors qu'elles ont des échéances de remboursement très importantes dans les mois et années qui viennent.

Le paradoxe de la situation actuelle est que l'Europe est dans une meilleure situation financière, plus solvable, que les Etats-Unis ou le Japon. Et pourtant, c'est nous qui sommes en crise aiguë, pas eux. Entre 2007 et 2010, la dette publique américaine a ainsi progressé de 30 points de PIB contre 20 points seulement en Europe. Le déficit est attendu en moyenne à 3,1 % en Europe en 2012, contre 9 % aux Etats-Unis et 8 % au Japon. Et pourtant, c'est l'Europe qui vacille. Pourquoi ? Parce que les Etats-Unis et le Japon constituent des ensembles politiques cohérents et unis, avec non seulement une monnaie unique, comme en Europe, mais une politique budgétaire, fiscale, économique unique, avec des solidarités budgétaires des régions riches vers les plus pauvres. La crise a révélé que l'Europe, au contraire, n'existait pas : inertie, absence de solidarités, désorganisation institutionnelle...

La grande rupture

La crise que nous connaissons n'est en réalité pas financière. Elle est d'abord et avant tout une crise économique, une crise du modèle de croissance européen. Elle n'est pas conjoncturelle, elle est structurelle, profonde et durable. Ce n'est pas la crise financière qui est à l'origine de la déroute économique, c'est la crise économique de l'Europe qui a provoqué le désastre qu'on connaît sur les dettes publiques. La crise économique préexistait à la crise financière. La seconde est à la fois le reflet et la conséquence de la première.

Bien sûr, nous l'avons vu, personne ne pourra nier que la crise américaine des *subprimes* a eu des effets négatifs majeurs sur la zone euro. On peut distinguer trois conséquences plus ou moins directes en Europe des événements de 2007 et

2008, avec l'éclatement de la bulle des crédits immobiliers aux Etats-Unis et la faillite de la banque Lehman Brothers.

La première, ce sont les pertes très importantes enregistrées par les banques européennes dans leurs comptes. Elles ont d'abord été confrontées à une envolée de leurs prêts dits non performants, avec des ménages et des entreprises se retrouvant dans l'incapacité de rembourser leurs emprunts en raison de la détérioration rapide de la situation économique mondiale. Elles ont aussi été confrontées à une chute de la valeur des actifs qu'elles détenaient dans leurs portefeuilles de placements, qu'il s'agisse d'actions ou d'obligations, avec l'effondrement des marchés financiers. Le fait que les banques enregistrent des pertes a réduit leurs fonds propres, c'est-à-dire leur capital disponible. Disposant de moins de capital, elles ont réduit toutes leurs activités. Notamment celle des prêts à l'économie, des prêts aux entreprises et aux ménages. Les banques n'ont plus été en mesure de jouer pleinement leur rôle de poumon de l'économie, d'apporter l'oxygène nécessaire au financement de l'activité.

Le deuxième effet négatif a été l'arrêt des financements, au-delà du seul crédit bancaire, de la part d'investisseurs à la recherche de liquidité.

Pour compenser des pertes subies sur un actif, on vend un autre actif, qui à son tour baisse, donc provoque d'autres pertes. Etc. Le mouvement s'autoentretient. Apparu avec les *subprimes*, il s'est accentué en Europe lors des premiers signes de difficultés en Grèce, quand les investisseurs internationaux ont commencé à prendre peur et à moins placer leur argent dans la zone, voire à le retirer. Les capitaux fuyant, partant aux Etats-Unis ou en Asie, les prix des actifs européens ont baissé, ce recul déclenchant de nouveaux retraits dans une sorte de cercle vicieux terrible.

Cette fuite des investisseurs hors de la zone euro s'est accélérée au fur et à mesure que la situation se dégradait en Grèce et que le Portugal et l'Irlande étaient à leur tour touchés. Au fur et à mesure qu'augmentait la crainte d'un défaut de paiement d'un Etat de la zone euro, ils ont jugé prudent de retirer leurs fonds d'une zone financière devenue potentiellement explosive pour aller les placer sous des cieux boursiers plus cléments. Au cours de l'été 2011, le phénomène a même atteint de telles proportions que les banques européennes se sont retrouvées confrontées à des difficultés majeures pour se financer et pour assurer leur liquidité au jour le jour, les Américains, qu'il s'agisse des banques, des assureurs ou des fonds d'investissement, ayant décidé de retirer soudainement les dollars qu'ils avaient placés en Europe pour les rapatrier aux Etats-Unis. La zone euro s'est trouvée privée d'une partie des capitaux étrangers qui irriguaient son économie et assuraient son financement.

Mais même si la crise financière mondiale a eu des impacts négatifs directs et indirects sur elle, l'origine des vrais problèmes de la zone euro est à rechercher dans son modèle de croissance lui-même. Ce modèle ne fonctionne plus, il est cassé.

Notre croissance potentielle, c'est-à-dire le taux de croissance maximal qu'on peut atteindre à un moment donné compte tenu des capacités de production, est aujourd'hui et durablement proche de zéro. Cela signifie que notre continent ne va plus croître pendant des années. C'est ce que montre l'analyse des facteurs de croissance. Passons-les en revue : population, gains de productivité, consommation, investissement.

Une population qui ne croît plus

Le premier facteur de la croissance, on l'oublie souvent, c'est la population active en âge de travailler. La définition économique de la croissance potentielle, c'est précisément le produit de la croissance de la population par les gains de productivité. Or, la population en âge de travailler, comprise entre 20 et 60 ans, décroît en Europe. De 1980 à 1995, elle progressait encore de 1 % par an en Espagne et de 0,5 % environ en France et en Allemagne. Depuis 1995, ces tendances se sont renversées, constituant une véritable révolution démographique. Elle régresse aujourd'hui de 0,5 % par an en Allemagne et est quasiment stable en France. La population active décroît dans le monde occidental, et plus particulièrement en Europe. Conséquence mécanique : la part de la population de plus de 60 ans augmente. En France, elle représentait 20 % en 1995, 24 % en 2010, et atteindra 27 % en 2019. En Allemagne, aux mêmes dates : 22 %, 26 % et 30 %. En Italie 20 %, 24 % et 30 %. Moins de jeunes, plus de vieux, c'est la donne démographique économiquement désastreuse de l'Europe.

Or, nous ne compensons pas cette absence de croissance démographique par une politique d'immigration, particulièrement en France. Si l'on considère les flux migratoires nets, c'est-à-dire le solde annuel d'entrées et de sorties pour 1 000 habitants, la France était à + 2 en 2009 comme en 1998. Loin derrière les Etats-Unis (respectivement 9 et 6), le Royaume-Uni (7 et 4) et l'Allemagne (7 et 7). Pour des raisons idéologiques, et parce qu'elle a oublié que la population est le premier terme de l'équation de la croissance, la France refuse depuis des années d'utiliser l'immigration comme moyen de stimuler la croissance.

Des gains de productivité nuls

Le deuxième facteur de croissance, ce sont les gains de productivité. La productivité, c'est le rapport entre la production et la population active employée. Autrement dit, c'est une mesure de l'efficacité au travail, c'est ce que produit une population donnée dans un temps déterminé. Or, là encore, la productivité croît très faiblement en Europe, contrairement à ce qu'on peut observer dans les autres régions du monde. Il y a là un mal spécifiquement européen, un mal profond et décisif, qui aggrave celui de son appauvrissement démographique. Si un pays voit sa population croître et sa productivité augmenter rapidement, c'est le jackpot. Comme au Brésil ou en Inde. On est dans une double dynamique positive, dans un *win-win*. L'Europe, au contraire, est aujourd'hui dans le *lose-lose* : moins nombreux et peu productifs. En moyenne, par an, entre 1998 et 2011, la productivité par tête dans la zone euro a progressé de 0,5 %, c'est-à-dire de quasiment rien, contre 2,5 % aux Etats-Unis ou 3 % en Suède. Pourquoi sommes-nous aussi peu efficaces et peu productifs ?

L'explication couramment donnée de la durée du travail n'est pas juste, elle ne tient pas. Les Européens travailleraient moins que les autres, donc produiraient moins. Depuis 1998, la durée du travail en moyenne dans la zone euro est la même qu'au Royaume-Uni, et elle n'a décrû que de 3 % par rapport aux Etats-Unis et au Japon. Ce n'est donc pas cette légère baisse de la durée effective du travail qui peut expliquer ce décrochage aussi important de la productivité. Il faut chercher ailleurs. D'abord, dans l'effort d'innovation ou, plus exactement, dans un effort insuffisant. Plus l'innovation est importante, plus l'efficacité du travail est grande. C'est, typiquement, le passage de la machine à écrire à l'ordinateur. On travaille plus vite et mieux. Or, les dépenses de recherche et développement (R&D) totales, publiques et privées, s'établissent à 1,9 % du PIB seulement dans la zone euro, contre 2,6 % aux Etats-Unis ou 3,7 % en Suède. Quant au nombre de brevets triadiques, c'est-à-dire déposés dans les trois grandes régions du monde, reconnus partout, ils s'inscrivent à 50 par million d'habitants aux Etats-Unis contre 40 en Europe. Et on pourrait multiplier les exemples. L'effort d'innovation est aujourd'hui bien moindre en Europe que dans le reste du monde.

Autre élément d'explication, la qualification de la population. Non seulement les Européens sont moins nombreux, moins efficaces, mais en plus ils sont moins bien formés que les autres. Or, la productivité est d'autant plus élevée que la population est qualifiée. Quand on considère le pourcentage de la population active ayant un niveau d'études inférieur au deuxième cycle du secondaire, les statistiques sont édifiantes : 11 % aux Etats-Unis, 14 % en Suède, mais 30 % dans la zone euro... A l'autre bout de la chaîne, le pourcentage de ceux disposant d'une formation de niveau tertiaire, supérieure, est de 41 % aux Etats-Unis, 33 % en Suède, et 25 % en Europe... Beaucoup de non-qualifiés, peu de qualifiés, c'est cette fois la donne éducative de l'Europe qui est catastrophique pour la productivité.

Troisième et dernier élément d'explication à cette faible productivité : la structure même de l'économie européenne. La productivité d'une économie est d'autant plus forte que la taille des secteurs productifs dans le PIB est elle-même élevée. Or, d'une part, le poids des nouvelles technologies est faible dans l'économie européenne, conséquence de la faiblesse de l'innovation et de la qualification : moins de 7 % du PIB en Europe contre plus de 10 % aux Etats-Unis. D'autre part, l'Europe est globalement très faible dans l'industrie manufacturière (moins la part de l'industrie est grande, moins elle peut être productive), les services financiers et les services aux entreprises, qui sont les secteurs les plus créateurs de richesse et les plus productifs. Et, malchance, elle est en revanche bien placée dans des secteurs très faiblement productifs comme par exemple la construction ou la distribution.

Une consommation déprimée

Pas assez de monde, trop de vieux, pas assez de jeunes bien formés, peu d'innovation, peu d'efficacité au travail dans des secteurs peu créateurs de richesse, cela fait beaucoup de handicaps pour l'économie européenne. Pourra-t-elle être sauvée, comme elle l'a longtemps été, notamment en France, par la consommation ? Non. La consommation est un moteur de croissance, le troisième après la population et les gains de productivité, sur lequel l'Europe ne pourra là encore durablement plus compter. Pourquoi ?

D'abord parce que celle-ci a été soutenue pendant des années soit par de la dette, soit par des transferts publics, comme la hausse des dépenses publiques et sociales. Compte tenu des contraintes financières, il ne faut plus espérer ce soutien dans le futur. Le crédit va se faire beaucoup plus rare et le recours à l'endettement ne compensera plus la faiblesse des salaires. Les banques européennes sont dans une situation de fragilité trop grande pour rouvrir grandes les vannes du crédit comme au début des années 2000 et subissent, paradoxalement, une réglementation de plus en plus défavorable au développement du crédit, à rebours de ce qu'il faudrait faire. De même, la situation des finances publiques européennes et la nécessité de réduire les déficits auront des effets très négatifs sur les ménages. Hausses inévitables des impôts, baisse de la masse salariale des administrations publiques et diminution des transferts sociaux comme des dépenses publiques d'investissement. Les temps s'annoncent très rudes pour les consommateurs. D'autant plus rudes que le chômage progresse, et avec lui l'épargne de précaution, et que le pouvoir d'achat recule mécaniquement.

Ensuite, à cause de la hausse à venir du prix des matières premières, liée à la demande croissante en provenance des pays émergents et aussi au fait que les investisseurs continueront massivement à placer des capitaux sur ces marchés, jugés moins risqués et plus rentables que les actions et les obligations européennes, entretenant ainsi un phénomène de bulle... Le mouvement général de hausse des prix des matières premières entamé depuis une dizaine d'années va se poursuivre et même peut-être s'accélérer. On a presque fini par l'oublier en Europe, mais l'économie mondiale, grâce à l'Asie, l'Amérique du Sud, l'Afrique, et malgré la crise financière internationale, continue de croître rapidement. Au-delà, en tout cas, du seuil de 3 % à partir duquel les prix des matières premières progressent mécaniquement. Cette hausse programmée signifie que le pouvoir d'achat des Européens va subir un choc majeur. Choc d'autant plus fort que les salaires ne sont plus indexés sur l'inflation.

Enfin, dernier facteur qui va continuer à peser sur la consommation : la déformation du partage des revenus au détriment du salarié. Cette déformation provient des exigences de rentabilité plus importantes de la part des actionnaires, du niveau élevé du chômage qui ne met pas les salariés en position de force pour obtenir des hausses de rémunération et, enfin, du fait que les entreprises, par précaution et en raison d'un futur très incertain, cherchent à restaurer dans l'immédiat des niveaux de profitabilité élevés.

Des investissements en panne

Faute de pouvoir compter sur une consommation dynamique, la croissance européenne peut-elle s'appuyer sur l'investissement des entreprises, dernier facteur de croissance ? Cela tiendrait du miracle.

D'abord parce que les entreprises auront d'autant moins de raisons d'investir que la consommation sera basse, dans un parfait cercle vicieux. C'est vrai de la consommation des ménages en berne comme des perspectives d'exportations moins favorables. A destination de la zone euro, cela va de soi, compte tenu de la faiblesse générale de la croissance, mais aussi vers les pays émergents qui développent rapidement leurs propres industries de substitution et sont de plus en plus en mesure de fabriquer les biens que nous leur vendions.

Ensuite parce que les entreprises de la zone euro ont et auront de plus en plus de mal à se financer. Il y a une insuffisance dramatique de capital en Europe – et plus particulièrement en France où, pour des raisons principalement idéologiques, on n'a jamais pris les dispositions nécessaires afin d'encourager l'investissement en actions et orienter l'épargne en faveur des entreprises. Avec un taux d'autofinancement en moyenne en Europe de 80 %, les entreprises n'ont d'autre choix pour investir que de recourir à des financements extérieurs, et essentiellement auprès des banques. Or, ces financements vont devenir rares, nous l'avons vu, et chers. La crise de la dette souveraine se traduit en effet par une hausse des taux d'intérêt sur les emprunts d'Etat, qui se répercute sur tous les taux d'intérêt dans l'économie et les tirent vers le haut. Ce sera là aussi une des grandes nouveautés de l'après-crise. A cela s'ajoute un effet d'éviction lié aux déficits publics. Les investisseurs non européens, échaudés par ce qui s'est passé en Grèce, plaçant durablement moins leurs capitaux en Europe, il faudra bien, pour financer les déficits publics, puiser dans l'épargne domestique, laquelle, du coup, ne sera plus disponible pour les entreprises privées.

Indépendamment des facteurs de croissance, il faut enfin évoquer quelques faiblesses structurelles de l'économie européenne. D'abord, une mauvaise spécialisation productive. Les économies de l'Europe du Sud, de la Grèce, de l'Espagne ou de l'Irlande, étaient et sont encore toutes caractérisées par des déséquilibres majeurs avec une hypertrophie de certains secteurs et une atrophie d'autres. Hypertrophie par exemple du secteur de la construction, lui-même peu productif et très sensible à l'endettement. Il représentait ainsi 14 % de l'emploi en Espagne en 2007, contre 6 % seulement en Allemagne. Quand le marché du crédit s'est grippé, le retournement du marché a provoqué un effondrement des mises en chantier et une implosion de l'économie espagnole. L'Espagne avait peut-être bétonné ses côtes, mais pas sa croissance.

La deuxième fragilité de l'économie de la zone euro a été, en conséquence, un mouvement de désindustrialisation, particulièrement marqué dans les pays d'Europe du Sud. L'emploi dans l'industrie baisse d'environ 10 % en Allemagne au cours de la décennie 2000, mais de près de 25 % en Espagne ! Autre illustration, le recul de la part des exportations de chaque pays dans les exportations mondiales (hors pays de l'OPEP et Russie, pour écarter les flux pétroliers) est lui aussi significatif : celle de la France passe de 6 % en 2000 à 4 % en 2010, alors que l'Allemagne est stable aux alentours de 10 % malgré la concurrence croissante des pays émergents.

Une conséquence de ces divergences en Europe est que les salaires réels ont progressé plus faiblement dans les pays européens moins industrialisés que dans les pays qui l'étaient plus, parce que les salaires dans la construction et dans les services sont relativement plus faibles que dans l'industrie. Plus on descend vers le sud de l'Europe, plus la part relative des salaires faibles augmente. Ce qui veut dire que ces pays où les salaires réels progressaient globalement peu ont eu recours, pour compenser, à un excès d'endettement. La crise a été d'autant plus forte dans les pays du Sud quand il n'a plus été possible de compenser la faiblesse des salaires réels par de l'endettement, de la cacher ou de la dissimuler par de la distribution de crédits, et la demande intérieure a chuté brutalement.

Population, productivité, consommation, investissement, désindustrialisation, tous les ressorts de la croissance européenne se retrouvent aujourd'hui détendus, cassés. On peut estimer la croissance potentielle, c'est-à-dire maximale, pour les dix prochaines années en Europe entre 1 et 1,5 % au maximum. Autrement dit, l'Europe roulera à

15 km/h quand de nombreux pays, dans le reste du monde, rouleront à 130.

Le plus démoralisant se trouve dans l'usage que l'Europe pourra faire du peu de croissance dont elle bénéficiera. A quoi par exemple servirait 1 % de croissance en France s'il était atteint ? Principalement à financer la hausse du prix des matières premières et à payer le coût du vieillissement de la population. En faisant l'hypothèse – raisonnable, presque prudente – d'une hausse moyenne de 15 % du prix des matières premières dans les prochaines années, et compte tenu du poids des importations de matières premières dans le PIB (5 %), la perte de croissance de revenus est de 0,7 %. Quant au vieillissement démographique, il se traduira mécaniquement par une hausse des dépenses de retraite et des dépenses de santé (les plus de 50 ans représentent à eux seuls la moitié de ces dernières), estimée par l'Insee à 0,2 point de PIB par an. Le calcul n'est pas très compliqué : 1 - (0,7 + 0,2) = 0,1. Il restera comme création de richesse à redistribuer pour le pouvoir d'achat 0,1 point de PIB ! C'est-à-dire rien…

Que ferait un investisseur cynique mais avisé, désireux de placer néanmoins des capitaux dans la zone euro ? Il choisirait quelques secteurs emblématiques de l'évolution européenne : les industries du vieillissement (maisons de retraite, soins à domicile, matériel d'assistance médicale, etc.), celles de la paupérisation et du *low-cost*, jouant sur la baisse du pouvoir d'achat (transports, logements, vêtements, *hard discount*, etc.) et enfin celles du tourisme, l'Europe restant malgré tout un merveilleux musée. On pense forcément au portrait que Houellebecq fait de l'économie française, d'ici quelques décennies, dans son roman *La Carte et le Territoire*. D'une France « devenue un pays surtout agricole et touristique », offrant ses hôtels, ses parfums et sa charcuterie, « ce qu'on appelle un art de vivre », ainsi que les paysages de ses magnifiques campagnes de Normandie et du Limousin à des millions de touristes venus des pays émergents.

Une rupture, cette révolution en cours, à laquelle pour l'instant l'Europe s'est montrée dans l'ensemble incapable de répondre. Totalement passive, inerte, sans ressort. Un mélange d'inconscience de ce qui se passe et de complète hébétude. Comme Louis XVI au début de la Révolution française. On sait comment l'histoire s'est terminée.

« *No future* »

La crise européenne n'est pas seulement économique. C'est une crise totale, globale. Economique, financière, mais aussi sociale, politique et morale.

C'est une crise des valeurs européennes, l'expression d'un mal-être qui résulte de la rupture du pacte social qui voulait que l'on vive dans une société unie, solidaire, et dans laquelle les enfants vivaient mieux que leurs parents. Non que cette idée ne soit plus perçue comme vraie. Elle n'est plus vraie.

La règle est désormais le chômage, l'appauvrissement et la précarité. C'est l'insécurité sous toutes ses formes, économique, financière, sociale et même physique. Individuellement et collectivement. Avec le sentiment de subir les choses, de répéter chaque jour les mêmes gestes, conduisant à une vie devenue mécanique qui perd son sens et sur laquelle on n'a plus aucun moyen d'action, avec le sentiment de ne plus être maître de son destin, de ne plus être maître de sa vie. De ne plus pouvoir agir sur sa vie.

Ce sentiment nourrit le désenchantement et la désespérance. La désespérance, c'est soit le fait de subir le chômage, de ne pas avoir d'activité et donc de ne pas pouvoir survivre par soi-même ; soit, lorsqu'on a un emploi, le fait d'être en permanence sous contrainte économique, c'est-à-dire n'avoir, malgré l'emploi, aucun pouvoir d'achat réel, aucune capacité à pouvoir faire ce que l'on souhaite ou désire. La désespérance, c'est aussi le fait de ne pas avoir l'espoir de pouvoir progresser dans la société. Et ce dans un environnement où les inégalités sont croissantes et où ce qui est proposé comme modèle est un étalage de richesse, de luxe, à la télévision ou dans les magazines.

La richesse semble à portée de main alors qu'elle est hors de portée. Aussi, après l'illusion vient le temps de la désillusion.

Le « *No future* » lancé par les punks à la fin des années 1970 paraît encore plus vrai et encore plus juste aujourd'hui. Ce *No future* et le mouvement punk sont nés en Grande-Bretagne, dans la classe ouvrière, dans un pays qui était touché de plein fouet par la désindustrialisation. Cette classe ouvrière se retrouvait soudain sans espoir ni avenir parce que, précisément, ses emplois disparaissaient inéluctablement. C'est ça, le punk. *No future* pour nous-même et pour nos enfants. C'est ce que nous vivons aujourd'hui en Europe. Et ce n'est pas un hasard si c'est de nouveau en Angleterre qu'ont eu lieu, à l'été 2011, de violentes émeutes, produit de la désespérance de cette *broken society*. Le journal *Le Monde* en a rendu compte en rencontrant le père d'un des émeutiers, à Manchester, désemparé, lui-même perdu dans une mondialisation qui le dépassait et incapable de rien proposer d'autre à son fils que ce conseil : « Je lui ai pourtant toujours dit qu'il fallait travailler. Ma théorie, c'est qu'on est heureux dans la vie quand on a toujours au moins 40 livres disponibles dans sa poche. » Il n'avait pas compris que c'était justement de cet avenir-là que son fils ne voulait pas. *No future*.

Cette crise se décline dans les trois « té » : inégalité, précarité, pauvreté, qui sont en train de prendre une ampleur inégalée et sans précédent en Europe et en France.

Inégalité

Inégalité veut d'abord dire que les riches sont de plus en plus riches, qu'ils captent une part de plus en plus importante de la richesse qui est créée, et que les pauvres sont de plus en plus pauvres.

Un économiste, Camille Landais, a fait une étude sur les hauts revenus en France au cours de la période 1998-2006. Premier constat : le revenu moyen en France n'a progressé que de 0,8 % par an. Soit quasiment rien. Il a même décrû en termes réels, si l'on tient compte de l'inflation. Pour être précis, le revenu moyen par foyer est passé de 23 205 euros en 1998 à 24 574 euros en 2006. De son côté, le revenu médian, c'est-à-dire le revenu qui partage la population en deux (50 % des gens gagnent plus de tant, 50 % gagnent moins de tant), n'a progressé que de 0,6 % par an. Donc plus le salaire est bas, moins il progresse. Cette stabilité est d'autant plus étonnante que le PIB et l'inflation ont progressé chacun, au cours de la période, d'environ 2 % par an.

Mais le plus frappant est que derrière cette stabilité se cache une grande disparité entre les classes de population. Pour le dire de manière simple : les revenus des 90 % les moins riches ont crû de moins de 5 % sur la période, là où ceux des 5 % les plus riches ont progressé de 11 %, ceux des 1 % les plus riches de 20 %, ceux des 0,1 % les plus riches de 30 %, et enfin ceux des 0,01 % les plus riches de 40 %. C'est une grande nouveauté, une sorte de contre-révolution salariale. Plus on est riche, plus le revenu croît. Le résultat, évidemment, c'est que la part des revenus des plus riches dans les revenus totaux a elle-même progressé : les 10 % les plus riches représentent aujourd'hui près de 33 % des revenus totaux, contre 31 % en 1998 ; les 1 % les plus riches représentent 8,2 % aujourd'hui, contre 7,2 % en 1998…

Une des explications de ces inégalités données par Camille Landais tient à l'évolution des revenus tirés du patrimoine, d'autant plus importants que le revenu est élevé. Sur la période 1998-2006, les revenus immobiliers ont progressé de 2,2 % par an, et les revenus des capitaux mobiliers (actions, obligations, etc.) de 4 % par an, à comparer donc au moins de 1 % de progression du revenu moyen. Ces inégalités apparaîtraient d'autant plus importantes si l'on regardait non plus les revenus mais les patrimoines eux-mêmes.

Cette progression des inégalités apparaît dans le fameux partage de la valeur ajoutée. La valeur ajoutée, c'est la richesse créée par l'entreprise et qu'elle va partager entre le travail (les salaires), le capital (les dividendes, le remboursement de la dette) et les impôts. Le patron de l'Insee, Jean-Philippe Cotis, à la demande du président de la République, a publié un rapport en mai 2009 concluant que le partage de la valeur ajoutée entre salaire et capital est stable depuis vingt ans, avec une part des salaires comprise entre 65 et 67 %.

Ce constat est biaisé et ne reflète pas la réalité pour différentes raisons. D'abord, tout dépend du point de départ que l'on prend. Si l'on ne regarde plus sur vingt ans mais sur trente ans, la part des salaires dans la valeur ajoutée a décrû d'environ 10 points. C'est considérable. Cela représente de l'ordre de 150 milliards d'euros de salaires en moins pour la seule année 2011. Le constat reste identique même si l'on remonte encore plus loin, à 1974 : la part salariale était alors de 6 points supérieure à ce qu'elle est aujourd'hui, ce qui représente un manque à gagner de 90 milliards d'euros pour 2011.

De fait, le rapport Cotis reconnaît lui-même que, depuis 1982, le salaire net n'a progressé que de 1 % par an en moyenne, alors même que le PIB a progressé plus vite. C'est donc bien qu'il y a eu un problème dans la distribution de la richesse. Enfin, il ne faut pas oublier l'accroissement des inégalités salariales. Dire que la part du travail est constante, depuis vingt ans, dans la valeur ajoutée, ne signifie plus grand-chose dès lors qu'on prend conscience de ces inégalités. Cela veut dire au fond que la grande masse des salariés n'en a pas profité.

La Commission européenne a d'ailleurs estimé que l'année 2010 avait fait apparaître, au plan européen, un niveau historiquement bas de la part du travail dans la valeur ajoutée. Quant à l'OCDE, elle a chiffré à 10 points le recul de la part du travail dans la valeur ajoutée depuis 1976 dans l'ensemble des pays de la zone qu'elle englobe. Bref, à l'exception du rapport Cotis, tout le monde arrive donc à la même conclusion : il y a bien eu, sur longue période, une déformation de la valeur ajoutée qui s'est faite au détriment du travail et au profit du capital.

Il est d'ailleurs difficile de nier que la part du profit s'est fortement accrue. En pourcentage des profits, les dividendes versés aux actionnaires ont été multipliés par deux entre 1993 et 2007. Si l'on regarde en pourcentage de la masse salariale, leur part a même été multipliée par trois depuis 1982. Dans le partage des profits, les dividendes ont explosé et la part des investissements s'est réduite. La conclusion, c'est que la baisse de la part salariale n'a pas été utilisée pour stimuler ou augmenter l'investissement, mais bel et bien pour verser plus de dividendes aux actionnaires.

Il ne faut donc pas s'étonner s'il y a un problème à la fois de compétitivité, lié à des investissements insuffisants, et de croissance, lié à des salaires insuffisants. C'est la conséquence de la part très importante et croissante prise par les actionnaires et le capital, qui elle-même traduit une évolution très profonde du capitalisme.

Nous avons vécu dans l'après-guerre jusqu'au milieu des années 1980 avec un capitalisme industriel dans lequel l'entreprise était considérée comme un lieu de production et de recherche, pour assurer l'emploi et pour pouvoir produire toujours plus et mieux. Depuis une trentaine d'années, c'est une forme nouvelle de capitalisme qui s'impose : un capitalisme financier dans lequel l'entreprise est considérée non plus comme un centre de production mais comme un centre de profit. Ce qui compte, c'est d'arriver à faire le plus de profit, le plus rapidement possible, avec une part toujours plus élevée revenant aux actionnaires. Peu importe, dans la durée, le développement de la production, de l'effort de recherche ou de l'emploi. Au contraire, d'ailleurs. Le capitalisme financier s'inscrit dans une logique qui est par nature très court-termiste, puisque l'actionnaire peut passer d'une entreprise à une autre à tout instant en vendant des actions de l'une pour acheter des actions de l'autre.

Précarité

Le deuxième « té », c'est la précarité, le fait d'être dans une situation fragile, de vulnérabilité, de ne plus pouvoir agir sur sa vie. Avec pour conséquence une montée du ressentiment, une opposition grandissante au « système », une moindre solidarité et une tentation du repli sur soi. Et, au final, une forme de dépression collective.

La première forme de précarité, économique et sociale, c'est bien sûr le chômage. Et notamment le chômage des jeunes qui a explosé partout en Europe, au cours des dernières années, et qui atteint aujourd'hui son niveau le plus élevé depuis que les systèmes de collectes statistiques existent. En moyenne, en Europe, le taux de chômage des jeunes est supérieur à 20 %. Les chiffres varient d'un pays à l'autre, mais le point commun est que partout en Europe il est deux fois supérieur au taux de chômage national. En Espagne et en Grèce, gravement touchées par la crise, le taux de chômage des jeunes est supérieur à 40 %, pour un taux de chômage national de 20 % environ. Dans ces pays, presque un jeune sur deux âgé de 15 à 24 ans, c'est-à-dire parmi les plus actifs, les plus volontaires, les plus déterminés, n'a donc rien à faire alors qu'il veut faire quelque chose. Avec toutes les conséquences dramatiques que cela comporte et notamment la perte de foi dans l'avenir. Ce taux est de 28 % en Italie, 29 % au Portugal et en Irlande, 23 % en France… La seule exception se trouve en Allemagne et en Europe du Nord, où le taux de chômage des jeunes est inférieur à 10 %.

Les jeunes ne sont pas seulement victimes d'un taux de chômage incroyablement élevé, ils souffrent aussi, quand ils en trouvent, d'emplois d'une grande instabilité. Le temps passé dans un emploi donné est beaucoup plus court quand on est jeune que quand on est moins jeune. Pourquoi ? Parce qu'il y a une surreprésentation, un poids plus important des contrats précaires. 50 % des jeunes, en Europe et en France, travaillent avec un contrat temporaire, c'est-à-dire CDD, intérim, stages. Seuls un tiers d'entre eux trouvent un emploi stable en un an ; un tiers mettent plus de cinq ans. La conséquence est un enfermement des jeunes dans les emplois à durée déterminée et le travail précaire. Cette tendance est d'ailleurs générale : l'emploi précaire ou transitoire concerne aujourd'hui 12 % des actifs dans leur ensemble, contre 8 % en 1990, et 5 % en 1982.

Le pire est que même l'accès à l'emploi stable chez les jeunes n'est pas toujours synonyme de réussite. On assiste à un phénomène massif de déclassement : l'emploi que trouvent les jeunes ne correspond pas à leur niveau de diplôme(s). Le taux de déclassement du premier emploi frôle en France les 50 %. C'est-à-dire que près de la moitié des jeunes Français décrochent un premier emploi nécessitant un niveau de formation inférieur à celui qu'ils ont. Avec d'ailleurs un effet d'éviction des jeunes non formés ou non qualifiés, chassés plus encore vers le bas. Tous ces éléments placent l'ensemble de la société dans une situation de grande instabilité. De grande explosivité aussi, quasi pré-révolutionnaire, avec une jeunesse désœuvrée ou exploitée, déconsidérée et humiliée, et qui n'a rien ou pas grand-chose à perdre.

Le déclassement, c'est-à-dire le fait de se trouver à un niveau de l'échelle sociale inférieur à celui de ses parents, n'est d'ailleurs pas un phénomène réservé aux jeunes. Un rapport du Conseil d'analyse stratégique, « La mesure du déclassement », a ainsi montré qu'il s'accroît significativement. Un quart des trentenaires et quadragénaires sont aujourd'hui déclassés, c'est-à-dire qu'ils appartiennent à une catégorie sociale inférieure à celle de leurs parents, contre 15 % seulement au début des années 1980.

A quoi est lié ce déclassement ? Essentiellement au ralentissement de la création d'emplois les plus qualifiés et à l'explosion des catégories dites moyennes (employés et professions intermédiaires, publiques ou privées, situées entre les ouvriers et les niveaux d'encadrement), ainsi qu'au vieillissement du haut de la structure sociale. Les générations précédentes, en conservant longtemps – trop longtemps – leur poste, en interdisent l'accès à celles qui suivent et qui possèdent pourtant une formation supérieure. Dit autrement, il y a une espèce d'effet de bouchon.

La démocratisation scolaire et l'élévation du niveau d'éducation sont un trompe-l'œil. D'abord parce que les diplômes ne protègent plus et ne garantissent plus l'accès à l'emploi : 65 % des jeunes recrutés dans la fonction publique sont titulaires d'un diplôme supérieur à celui qui est requis pour passer le concours ; 70 % des bacheliers à la fin des années 1960 devenaient cadres ou accédaient à une profession intermédiaire, contre 22 % seulement aujourd'hui. Ensuite parce que la démocratisation scolaire n'a en aucune manière permis de réduire les inégalités sociales : 72 % des enfants de cadres obtiennent un diplôme de l'enseignement supérieur, contre 22 % des enfants d'ouvriers. Moins de 10 % des enfants d'ouvriers deviennent cadres... mais près de 50 % ouvriers. Ce n'est plus une société figée, c'est une société totalement paralysée.

Tout cela signifie que les chances d'accès aux positions sociales élevées, même les chances de monter dans l'ascenseur social sont directement déterminées par le milieu social auquel vous appartenez. Pire, c'est le « descenseur social » qui fonctionne le mieux, selon la formule bien trouvée de Philippe Guibert et Alain Mergier. Le descenseur social, c'est quand non seulement l'ascenseur social est en panne (mobilité de l'emploi insuffisante, inutilité des études), mais quand de surcroît existent des risques croissants de déclassement. Etre obligé, quand on a vingt ans, de prendre ce descenseur social plein à craquer a de quoi vous donner des envies justifiées de faire la révolution.

La formation professionnelle devrait en théorie corriger les défauts du système éducatif et faciliter la réadaptation et la mobilité. Elle est en réalité elle-même très inégalitaire. Le taux d'accès à la formation professionnelle est de 55 % chez les cadres, mais de 30 % seulement chez les ouvriers et les employés. Non seulement notre système de formation est inégalitaire, à l'origine, dans l'accès aux diplômes, mais en plus la formation professionnelle se montre incapable, plus tard, d'y remédier. Autrement dit, plus on part de bas, plus on va y rester, plus il est difficile de s'élever socialement. Ce n'est pas seulement injuste, c'est absurde et, sur le plan économique, totalement contre-productif. Cela prive le pays d'une partie de ses talents, d'entrepreneurs, de créateurs de richesse.

Pauvreté

Après les « té » de l'inégalité et de la précarité, passons au troisième « té ». Celui de la pauvreté. Si la France est un pays qui compte de plus en plus de riches très riches, elle est aussi un pays qui compte de plus en plus de pauvres très pauvres. Et ce pour différentes raisons. Montée du chômage, contraction de l'emploi intérimaire qui, normalement, constitue une variable d'ajustement, baisse des revenus d'activité pour cause de chômage partiel, de diminution des primes, des heures supplémentaires, surendettement…

Est aujourd'hui considéré comme pauvre quelqu'un qui a des revenus inférieurs à 60 % du revenu médian, qui est de 19 080 euros par an, soit 1 590 euros par mois. Est donc pauvre, au sens statistique et officiel du terme, celui qui vit avec moins de 60 % de ce montant, c'est-à-dire avec moins de 954 euros par mois. Ils sont en France 8,2 millions, soit 13,5 % de la population. L'Europe, elle, est même un peu au-dessus de ce chiffre, avec 16 % de la population et 80 millions de pauvres.

Si l'on retient une définition plus restrictive, celle des personnes qui vivent avec des revenus inférieurs à 50 % du revenu médian, soit moins de 795 euros par mois, elles sont 4,5 millions. Ce qui veut dire que 3,7 millions vivent avec un revenu compris entre 795 euros et 954 euros par mois. Il ne s'agit pas nécessairement d'exclus sociaux mais, pour beaucoup d'entre eux, d'actifs pauvres, de personnes qui travaillent mais qui sont néanmoins frappées par la paupérisation. Cette paupérisation touche aussi de plein fouet les étudiants : 20 % d'entre eux vivent en dessous du seuil de pauvreté. Toute la crise sociale est dans ces chiffres.

Pour mesurer ce qu'est la vie quotidienne avec ces niveaux de revenus, une étude du Crédoc (Centre de recherche pour l'étude et l'observation des conditions de vie) s'est intéressée au mode de vie non pas des pauvres au sens statistique du terme, mais de ceux qui vivent avec le revenu médian. Donc de ceux qui se situent exactement au milieu de l'éventail des revenus (50 % des gens gagnent plus de tant, 50 % gagnent moins de tant), avec 1 590 euros par mois. C'est-à-dire ceux qui incarnent la classe moyenne, au sens propre.

La moitié de cette population n'a pas Internet à domicile, 48 % ne partent jamais en vacances, 40 % n'ont pas de produit d'épargne, 37 % ne vont jamais au cinéma, et 34 % n'ont pas de voiture. La coupure est incroyable entre les deux France, celle des riches et celle des pauvres.

Et l'écart se creuse. Notamment parce que les dépenses contraintes, c'est-à-dire les dépenses incompressibles pour un ménage (logement, chauffage, alimentation, etc.) progressent beaucoup plus vite que le revenu. Elles représentent aujourd'hui 40 % du budget des classes moyennes, contre 20 % au début des années 1980, et conduisent à une forme de privation de liberté. Une fois payés les frais de logement, d'alimentation, de transport, de santé et d'éducation, il reste selon le Crédoc 300 euros. 300 euros par mois pour les loisirs, l'habillement, les biens d'équipement, etc.

L'évolution du prix des logements est à cet égard emblématique, avec des effets de ségrégation ou de ghettoïsation importants. Un économiste spécialiste de l'immobilier, Jacques Friggit, a étudié, sur longue période, la relation entre le prix des logements et le revenu disponible des ménages. Entre 1945 et 2000, le rapport entre ces deux variables est resté quasiment constant, oscillant entre 0,9 et 1,1 dans une sorte de tunnel. Les deux variables ont évolué de façon similaire. Mais depuis 2000, on assiste à une déconnexion complète, à une sortie du tunnel. Le prix des logements progresse plus vite que le revenu, avec un rapport qui s'établit à 1,8 en 2010. Un niveau jamais atteint depuis la Seconde Guerre mondiale. Cela pénalise d'abord les ménages modestes, les jeunes ou les vieux, c'est-à-dire les personnes plus fragiles, et conduit à des formes d'exclusion géographique, avec des centres-ville de plus en plus chers qui deviennent inaccessibles aux catégories les plus défavorisées, repoussées en périphérie et en banlieue. Cela aussi contribue à la colère et à la révolte qu'éprouvent les classes moyennes. Elles le vivent physiquement comme un symbole du rejet dont elles peuvent faire l'objet de la part d'une société de nantis.

Cette crise sociale, française et européenne, mène à une crise politique profonde. Crise institutionnelle, sur laquelle nous reviendrons, mais aussi crise du rapport au politique. Avec une et même plusieurs générations perdues. Désespérées par la difficulté d'accéder à un emploi, de trouver un logement, l'inutilité des diplômes, les inégalités, l'absence de mobilité sociale, la précarité, la peur de tomber tout à coup dans un gigantesque trou noir… Pas étonnant que les désespérés se transforment en indignés !

Ce qui caractérise ces générations perdues, c'est leur absence totale de confiance dans l'avenir. Pas d'avenir, pas de perspective, pas d'horizon. Les mouvements de protestation qui apparaissent dans les pays occidentaux regroupent des gens qui souffrent individuellement mais qui se retrouvent collectivement pour exprimer leur rage face à une société figée, cassée.

D'où la tentation d'un rejet du système dans sa totalité, un rejet du capitalisme, du marché et une volonté de changement global. Puisque le système actuel ne propose aucun avenir, il faut en créer un, nouveau, de toutes pièces, qui propose un futur et un horizon. Tous ces mouvements ont un mode d'action commun, occuper la rue, et un lieu d'action commun, les places : Puerta del Sol à

Madrid, la place Syntagma à Athènes, la place Tahrir au Caire... Zuccotti Park, à New York, rebaptisée Liberty Square... Ils ont des slogans communs, dont beaucoup évoquent ceux de Mai 68 : « Sois humble car tu es fait de boue, sois noble car tu es fait d'étoiles », « Nous n'avons pas de maisons, nous restons sur la place », « Vous prenez l'argent, nous prenons la rue », « Nos rêves ne tiennent pas dans vos urnes », « Si vous ne nous laissez pas rêver, nous ne vous laisserons pas dormir », « *We are not against the system, the system is against us* », « Moins d'essence, plus de sens »...

Le point commun à tous ces mouvements de révoltés dans le monde, c'est le sentiment de la dissolution, de la disparition de l'appartenance à un monde commun. Avec d'un côté leur monde, celui des 99 %, selon le fameux slogan, et, de l'autre, celui des riches, des ultra-riches, du dernier 1 %. Ils sont mus par le sentiment que le système économique ne fonctionne qu'au profit de cette ultra-minorité. Pour l'enrichir toujours davantage. Mais pas eux, les oubliés, les négligés, les méprisés, les laissés-pour-compte, ceux qu'on ne traite pas comme des semblables. Leur cri de protestation sonne comme une déclaration de sécession. Nous sommes les indignés ! Nous sommes les révoltés ! Nous ne sommes pas comme vous et vous nous rejetez ! Nous vivions dans un monde en face du vôtre, que vous ignoriez, mais maintenant c'est fini, notre monde est contre le vôtre. Nous nous indignons, donc nous sommes.

L'émancipation actuelle, cette réappropriation du politique, rappelle l'émancipation ouvrière du XIXe siècle et deux de ses grands mouvements : le Printemps des Peuples en France et en Italie en 1848, et la Commune de Paris en 1871. Même si la comparaison historique est toujours délicate, il y a dans « Les Indignés » quelque chose de même nature, la révolte de ceux qui ne sont rien, et qui veulent être quelque chose, la révolte contre un ordre qui n'est plus le leur, la révolte contre des représentants qui ne les représentent plus, contre des élites, politiques, économiques, financières, discréditées.

Le risque, c'est évidemment que cette protestation, cette volonté pacifique de changement débouchent sur une explosion sociale. Avec la violence de ceux qui n'ont plus rien à perdre. S'ils ne sont qu'une petite minorité, le « système » peut résister, mais quand, pour toutes les raisons évoquées, ce sont des générations entières, des millions de personnes qui n'ont plus rien à perdre, le rapport de forces change.

Emergés et immergés

Sans ressort ni croissance, en crise profonde, l'Europe fait face dans le même temps à la montée en puissance des pays émergents, pleins de jeunesse, d'espoir et de vigueur économique.

Car c'est cela, le nouveau monde qui se dessine. D'un côté, des émergents, ou plutôt des émergés en pleine forme, de l'autre, des immergés : nous, avec sur les épaules le poids gigantesque d'une dette immense. Incroyable renversement et fantastique révolution, par leur violence, par leur rapidité, qui voient en quelques années ceux du dessous passer dessus, et ceux du dessus passer dessous. Rupture fondamentale, et non phénomène transitoire ou de court terme. Les émergés ont émergé pour longtemps, les immergés sont immergés pour longtemps aussi.

Redisons-le : nous vivons la fin de la parenthèse qui aura vu l'Europe dominer le monde depuis le début du XVIe siècle. Le mouvement est en cours depuis une quinzaine d'années déjà, mais la crise de 2007 marque une rupture nette et peut être considérée comme un vrai point de bascule. L'Europe est en train de vivre ce que les grands Empires chinois, ottoman ou mohgol ont connu pendant cinq siècles et jusqu'à aujourd'hui. Une révolution qui les marginalise. Les dominants deviennent des dominés, les dominés des dominants.

De façon extraordinairement symbolique, on voit d'anciens pays colonisés venir aujourd'hui au secours d'anciennes puissances coloniales, comme le Brésil ou l'Angola, contribuant au sauvetage du système bancaire portugais ou rachetant des entreprises portugaises. Ce sont, dans le cas de la France, certains pays africains, comme le Gabon, prêts à entrer au capital d'entreprises françaises, comme Eramet, pour soulager les finances publiques. C'est évidemment la Chine – retour extraordinaire de l'Histoire –, entrant au capital du port du Pirée, à Athènes, qui était jadis un des phares du monde à tous les égards. Ce sont aussi les « traités inégaux » dans l'autre sens. De la même façon que l'Europe avait imposé à la Chine au milieu du XIXe siècle les traités inégaux, une série de privilèges et de droits exorbitants, la Chine ou l'Inde nous imposent aujourd'hui une nouvelle forme de traités inégaux, par exemple sur tout ce qui concerne les brevets, les transferts de technologie, en abusant de leur position dominante et de leur situation qui font d'elles les banquiers du monde et en refusant d'appliquer les mesures de protection de la propriété qui existent ailleurs.

Les perceptions elles-mêmes évoluent. *Le Quotidien du peuple*, le plus grand journal chinois, écrivait en novembre 2011 à propos de la France : « Les Français sont connus depuis toujours pour leur romantisme et leurs goûts délicats. Cependant, face à la réalité rigoureuse d'une situation morose, ils sont obligés de changer leur mode de vie et leurs habitudes de dépenses en devenant de plus en plus économes. Ils commencent à boire du lait un peu moins frais mais bon marché, ils louent les pièces vides de leurs maisons, ils fréquentent les magasins de *discount* le week-end, ils marchent plus souvent à pied au lieu de conduire leur voiture et ils ont même supprimé leurs projets de vacances pour les quelques années à venir. Face à une situation économique difficile, les Français jouissent également moins du plaisir de la table. Lors des repas, certains ne prennent ni entrée ni dessert et ne commandent que le plat principal. Même les sandwichs auparavant toujours méprisés sont mis sur la table. » Voilà, dans ces *Lettres persanes* à l'envers, l'image de la France et de l'Europe aujourd'hui en Chine et dans le reste du monde.

Le monde est désormais scindé en deux zones bien distinctes. Celle des émergés, en croissance rapide, durablement. Et celle des pays matures, en croissance lente, durablement. Pour les mêmes raisons que nous, mais exactement inverses, les pays émergés vont désormais connaître une croissance considérable, et pour longtemps.

Ils bénéficient de toutes les rentes : rente des matières premières, situées sur leurs territoires ; rente du capital, grâce à l'accumulation de réserves de change résultant notamment de leurs exportations de matières premières et plus largement de leurs exportations industrielles très compétitives ; rente du travail enfin, abondant et pas cher. Mais ils s'appuient aussi sur toutes les dynamiques... Dynamique de la population d'abord : la population âgée de 20 à 60 ans décroît en Europe, elle croît d'environ 2 % par an chez eux. Dynamique des gains de productivité ensuite, tirés par le rattrapage technologique, lui-même favorisé par les investissements directs très importants des entreprises occidentales dans ces régions, mais tirés aussi par leur propre effort de recherche et de développement en progression constante (0,5 % du PIB en Chine en 1995, 1,5 % aujourd'hui). La croissance des gains de productivité est en moyenne quatre fois supérieure dans les pays émergés à ce qu'elle est en Europe. Dynamique de la consommation également, grâce à l'évolution des salaires : durablement déprimés en Europe, ils progressent de 8 à 10 % par an dans les pays émergés. On voit là le cercle vertueux que ces pays connaissent : progression soutenue des salaires, hausse de la consommation et de la demande intérieure, hausse de l'investissement. C'est l'inverse de ce que nous connaissons en Europe, et ce d'autant plus que les pays émergés disposent d'une marge de progression du crédit très significative pour les ménages et les entreprises, là où l'Europe est saturée de dettes. Dynamique de l'investissement enfin, avec un taux bien plus élevé qu'en Europe : 35 % dans les pays émergés contre moins de 20 % du PIB en Europe.

Au total, cela fait apparaître un écart de croissance potentielle très élevé, de l'ordre de six à sept fois supérieur pour les pays émergents... Ce décalage, qui va se poursuivre et s'accélérer, fait grimper à toute allure la part des émergés dans la richesse mondiale ; elle représentait moins de 20 % du PIB mondial en 2002, elle est aujourd'hui à plus de 30 %... Depuis début 2010, la croissance annuelle est ainsi supérieure ou proche de 10 % en Chine, dans le reste de l'Asie, en Inde ou au Brésil, de 6 % en Amérique latine hors Brésil...

Le plus inquiétant – là aussi il s'agit d'une révolution majeure – est que les pays émergés ont de moins en moins besoin de nous pour croître. Longtemps, ils ont tiré l'essentiel de leur croissance de notre propre croissance. De leurs exportations vers l'Europe et les Etats-Unis. Aujourd'hui, ils croissent entre eux et par eux-mêmes. D'une part, leur seule demande intérieure suffit pour assurer une croissance très forte dans les années qui viennent. Jusqu'à 10 % par an en Chine, selon le FMI, puisque la demande intérieure représente 100 % du PIB et qu'elle croît de 10 % par an. En Inde, leur seule demande intérieure peut les faire croître de 8 % par an. D'autre part, ils commercent de plus en plus entre eux. Avec un effet d'autoentraînement : 45 % des exportations de la Chine sont aujourd'hui tournées vers les pays émergés, contre 35 % en 2002. C'est le cas de 46 % des exportations indiennes, de 50 % des exportations brésiliennes, et de 60 % des exportations des pays d'Asie autres que la Chine...

Le risque que nous courons, c'est d'être les laissés-pour-compte de la croissance mondiale. 100 % de la croissance mondiale aujourd'hui est faite par eux. Sans nous. Durablement.

Les conséquences de tout cela, ce sont bien sûr la fin programmée de la domination européenne et américaine dans la gouvernance économique mondiale et de grandes tensions internationales. Le G20 a remplacé le G7, et plus rien aujourd'hui ne peut se décider sans les fameux BRICO : Brésil, Russie, Inde, Chine et les autres (O pour *others*). C'est vrai en matière économique, c'est vrai en matière financière. Le rapport de forces se trouve totalement inversé. La transmission de pouvoir annonce ainsi d'abord une période de grandes tensions politiques.

Deuxième source de tensions : les ressources naturelles. Qui dit forte croissance dans les pays émergés dit évidemment forte consommation de pétrole et de matières premières. D'ores et déjà, les émergés consomment 60 % de la production de pétrole dans le monde. Le point d'équilibre a été franchi en 2001. Avant cette date, les immergés (Etats-Unis, Europe, Japon) consommaient plus de pétrole qu'eux. Ce n'est plus le cas et le mouvement va continuer : les émergés consommeront 70 % du pétrole mondial en 2030. Le phénomène est encore plus spectaculaire pour les métaux. Les émergés consomment aujourd'hui 80 % de la production mondiale. Le point d'équilibre s'est fait en 2002. Ils en consommeront 95 % en 2030. En matière de produits alimentaires, le point d'équilibre n'a pas encore été atteint. Les émergés consomment aujourd'hui 40 % de la production alimentaire mondiale ; ils en consommeront 60 % en 2030... Cela provoquera des tensions sur les prix, mais aussi sur le contrôle même des matières premières. Et c'est ce qui explique les investissements massifs faits par ces pays, Chine, Brésil, Inde, pour acheter des entreprises dans le secteur des énergies, ou encore des terres. La Chine acquiert depuis quelques années en grande quantité des terres agricoles, ou des forêts, dans le monde entier, principalement en Amérique latine ou en Afrique.

Troisième source de tensions : le capital et la capacité financière. Ils sont aujourd'hui de plus en plus entre les mains des pays émergés, comme l'illustrent les fonds souverains, ces institutions publiques contrôlées par des Etats qui ont amassé des richesses considérables grâce à l'accumulation des réserves de change, liées à leurs exportations.

Le plus grand fonds est celui d'Abu Dhabi, ADIA (Abu Dhabi Investment Authority), qui a été créé en 1976 et qui gère 630 milliards de dollars. Arrivent ensuite – outre le fonds de pension norvégien – le fonds SAMA d'Arabie Saoudite avec 440 milliards de dollars, puis deux fonds chinois, SAFE Investment Company avec 350 milliards de dollars, et CIC (China Investment Corporation) avec 330 milliards de dollars. Quand on sait que plus de la moitié des fonds souverains ont été créés depuis 2000, on a une idée de la vitesse à laquelle les pays émergés ont accumulé de la richesse depuis dix ans. Dans quoi investissent ces fonds souverains ? En premier lieu, à hauteur de 33 %, dans le secteur bancaire, actif stratégique puisqu'il est au cœur du financement de l'économie, donc de la croissance future des pays émergés. A 21 % dans le secteur de l'énergie et les mines, à 20 % dans les services aux collectivités (eau, gaz, électricité, téléphone, etc.), à 10 % dans le secteur de la distribution. Bref, tous les secteurs essentiels pour leur croissance de demain.

Le quatrième sujet de tensions, lié d'ailleurs aux fonds souverains, c'est le contrôle des entreprises. L'influence d'un pays dans le monde passe aujourd'hui d'abord par ses entreprises. La puissance américaine s'exprime de nos jours encore bien sûr dans son armée ou sa diplomatie, mais aussi et surtout dans Apple, Coca-Cola, McDonalds, Microsoft ou les majors du cinéma à Hollywood. Ces entreprises sont à la fois un vecteur de création de richesse, de valeur ajoutée, de ressource fiscale, mais également de recherche, d'innovation et d'influence. Or, le danger, pour les pays immergés, est de perdre le contrôle de leurs grandes entreprises, faute de capital suffisant à opposer à la puissance financière dont disposent, eux, les pays émergés.

Ainsi, la part des acquisitions d'entreprises faites par les entreprises des pays émergés dans le reste du monde, pour accroître leur base commerciale ou saisir des technologies, a commencé à progresser de manière très substantielle au cours des dernières années. La Chine est devenue le premier pays en termes d'acquisitions dans le monde. Les entreprises des pays émergés réalisaient une opération d'acquisition sur sept dans le monde en 2005, mais une sur trois aujourd'hui. Derrière ces acquisitions, c'est bien la bataille pour le contrôle économique du monde qui a lieu. Et tout indique que les pays émergés, progressivement, irrésistiblement, prennent l'avantage. En 2005, année où Lenovo, une entreprise chinoise, achète la division PC d'IBM, 14 % des opérations d'acquisitions dans le monde sont le fait d'entreprises de pays émergés. En 2006, quand Mittal achète Arcelor, ce chiffre passe à 16 %. En 2007, année où Sinopec achète une importante entreprise suisse d'énergie, Addax Petroleum, il monte à 20 %. Puis à 22 % en 2008, lorsque Indian Oil and Natural Gas Corp achète Imperial Energy, une filiale d'Exxon Mobil. En 2009, année où l'indien Tata achète Jaguar et Rover, il s'établit à 24 %. Et en 2010, avec l'achat de Volvo par Geely, un constructeur automobile chinois, on passe à 33 %... Ce sont là des acquisitions importantes, mais on pourrait citer des opérations plus petites et tout autant symboliques : Cerruti racheté par l'entreprise chinoise Trinity, Conforama repris par le sud-africain Steinhoff... On pourrait multiplier les exemples qui illustrent cette passation de pouvoir économique et financier. L'Anglais le plus riche est un Indien, M. Mittal, qui possède la double nationalité. Et le premier groupe industriel britannique est un groupe industriel indien, Tata, qui contrôle de l'acier avec Corus, de l'automobile avec Rover et Jaguar, et qui s'est payé le luxe, de façon très emblématique, de racheter la marque de thé anglais Tetley.

C'est très loin d'être anecdotique. Car la localisation du centre de gravité des entreprises est déterminant pour l'influence d'un pays. La chance qu'a la France – un petit pays aujourd'hui, à tous égards, population, richesse... ! – est de posséder des grandes entreprises de taille mondiale, parmi les premières dans leur secteur. Dans le luxe, avec PPR et LVMH ; dans les cosmétiques avec L'Oréal ; dans la distribution avec Carrefour ; dans la construction, avec Vinci, Eiffage, Bouygues ; dans les services aux collectivités locales, avec Veolia, Suez Environnement ; dans l'énergie, avec Total, Areva, EDF, GDF Suez ; dans la distribution électrique, qui est un sujet majeur aujourd'hui, avec Schneider ; dans l'automobile avec Renault et Peugeot mais aussi Michelin... Il faut tout faire pour empêcher que le centre de gravité de ces entreprises ne parte dans les pays émergés. C'est un des rares moyens pour la France, et cela vaut aussi pour l'Europe, de résister à une prise de pouvoir et de contrôle complète des pays émergés sur l'économie mondiale. Et de garder encore un petit espoir de pouvoir peser sur le cours des choses, de ne pas subir entièrement la révolution économique en marche.

DEUXIÈME PARTIE

La révolution à mener : la révolution européenne

L'impossible statu quo

Face à la révolution que l'économie mondiale est en train de vivre et à la profondeur de la crise, l'Europe doit mener sa propre révolution. Pour ne pas se laisser marginaliser, pour ne pas disparaître. Le statu quo actuel n'est ni tenable ni envisageable, car il aboutirait inévitablement au scénario du pire : une dislocation de la zone euro, aux conséquences tragiques pour tous. Il nous faut à tout prix écrire le scénario du meilleur, celui d'une Europe forte, car unie et intégrée. Nous n'avons pas d'autre choix.

La stratégie du statu quo consiste à penser qu'il suffit d'attendre, de tenir, de ne pas bouger et de ne rien changer, et que les choses finiront par s'améliorer d'elles-mêmes, que la croissance reviendra et que la tension financière retombera. Cette stratégie conduit à surtout ne prendre aucune décision forte, susceptible de remettre en cause un certain nombre de dogmes ou de règles établis. Elle repose sur la gesticulation et la communication – par exemple, ne jamais attaquer de front et en profondeur le problème de la dette grecque au prétexte de ne pas effrayer les marchés, et parier parallèlement sur le fait que le temps permettra à l'Espagne et à l'Italie de s'ajuster suffisamment pour calmer les esprits.

Une stratégie de l'autruche vouée à l'échec

La crise étant d'abord celle d'un modèle de croissance, il est illusoire de penser que cette dernière reviendra d'elle-même. Aucune mesure, même très forte, de sauvetage de tel ou tel pays pris individuellement ne permettra de stabiliser la situation. Aucun programme de soutien financier, même massif, ne sera en soi suffisant pour renouer avec la croissance.

C'est d'autant plus vrai qu'à cette crise structurelle s'ajoutent les effets récessifs, conjoncturels, des plans de rigueur budgétaire mis en place. Partout en Europe la croissance est en berne : le PIB a reculé de plus de 5 % en Grèce en 2011, de 2 % au Portugal, de 1 % en Espagne et en Italie. En trois ans, le PIB grec se sera contracté de plus de 15 %, ce qui est considérable. L'Europe est entrée dans un véritable cercle vicieux où la baisse de la croissance rend de plus en plus difficile d'atteindre les objectifs de maîtrise des finances publiques, ce qui conduit à des mesures d'austérité supplémentaires et à une baisse encore plus forte de la croissance. En prenant des hypothèses très fortes, comme une croissance très soutenue (5 %) et un taux d'emprunt extrêmement bas (4 %), il faudrait que la Grèce réduise de 20 % de PIB son déficit budgétaire pour seulement parvenir à stabiliser sa dette publique ! C'est à la fois hors de portée et insuffisant. Du coup, l'Europe se retrouve face à un double risque. Celui de la poursuite et de l'aggravation des difficultés, et celui du risque de contagion.

Le risque d'un effet domino

La contagion, ça veut dire quoi, concrètement, et comment ça fonctionne ? C'est la transmission de la crise d'un pays à un autre, comme un virus peut être transmis d'une personne à une autre. Un exemple récent de contagion nous a été donné par la crise dite des pays émergents en 1997-1998. La Thaïlande fut touchée la première en août 1997, puis la crise gagna la Corée en novembre 1997, puis la Russie en septembre 1998 et le Brésil fin 1998. Avec chaque fois un mécanisme de transmission clairement identifié entre ces pays homogènes, partenaires, appartenant tous à la même catégorie financière pour les investisseurs, comme s'ils appartenaient à une même famille.

La première voie de transmission, c'est la contagion par la dégradation de la situation économique. La crise économique dans un pays A dégrade la situation économique dans le pays B, parce qu'ils sont partenaires, compte tenu de l'importance de leurs liens et de leurs relations. Soit par le biais de l'économie réelle, par exemple la baisse des exportations du pays B à destination du pays A, dont la demande intérieure s'effondre et qui par conséquent importe beaucoup moins de produits. Soit par le biais de la finance, parce que les institutions financières du pays B détenant des actifs financiers dans le pays A en difficulté y subissent de lourdes pertes. Dans les deux cas, le pays B se trouve directement affecté.

Une deuxième voie de transmission est « la réaction des prêteurs communs ». Prenons le cas d'une banque d'un pays C qui prête de l'argent à la fois au pays A et au pays B : pour compenser les lourdes pertes enregistrées dans le pays A en crise et pour ne pas connaître de problèmes de liquidités, la banque va vendre des actifs dans le pays B, qui du même coup va lui aussi se retrouver en crise.

En Europe, ces deux premiers risques de contagion sont avérés, d'une part parce que la zone est économiquement très intégrée (les pays européens exportent principalement vers les autres pays européens), d'autre part parce que les grandes institutions financières européennes prêtent à l'ensemble des pays européens. Résultat, une crise dans un pays de la zone euro, même de petite taille, on l'a vu avec la Grèce, déstabilise immédiatement l'économie et le système financier de toute la zone.

Une troisième voie de transmission, que l'on avait vue à l'œuvre dans la crise des pays émergents et que l'on observe aujourd'hui en Europe, est celle du « rééquilibrage des portefeuilles ». Les investisseurs étrangers à la zone euro préfèrent déserter celle-ci dans son ensemble en estimant que, compte tenu de l'homogénéité de cette zone, les difficultés de tel ou tel pays vont forcément rejaillir ou se poser de la même façon dans les autres pays de la région. C'est ainsi qu'ont agi les Chinois, les Américains ou les Brésiliens lorsque la Grèce est entrée en crise. Ils ont préféré, par prudence, réduire leurs investissements non seulement en Grèce, mais dans la zone euro dans son ensemble jusqu'à parfois même s'en retirer totalement. Résultat, même des pays de la zone euro en excellente santé économique et financière peuvent eux aussi subir la défiance des grands investisseurs internationaux. L'Allemagne, elle-même, a ainsi connu de manière inédite en novembre 2011 des difficultés à trouver des investisseurs lors d'une de ses émissions d'emprunts. On voit là un mécanisme qui joue un rôle clé dans la contagion des crises : la modification des perceptions, quand bien même il n'y a pas de changements d'objectifs économiques ou de changements dans l'économie réelle, suffit à provoquer la crise. La seule anticipation de l'extension de la crise dans un pays provoque la crise. Le pays en bonne santé tombe malade avant même d'avoir été atteint réellement par le virus.

Malheureusement pour la zone euro, la réussite de son intégration financière a amplifié ce risque de contagion. L'intégration financière s'est traduite par une hausse de la détention des actifs financiers de chaque pays de la zone par les autres pays de la zone euro, plus précisément par les établissements financiers, banques ou compagnies d'assurances. Les pays se tiennent les uns les autres. 40 000 milliards d'euros d'actions et d'obligations émis dans la zone euro sont ainsi détenus par des investisseurs européens, alors que le montant détenu par des non-européens (chinois, brésiliens, américains, etc.) s'élève à moins de 10 000 milliards d'euros. C'est donc au sein de la zone euro que sont détenues pour l'essentiel les dettes européennes. Quand leur valeur chute, c'est d'abord et avant tout l'Europe qui est touchée. Par ce biais, la crise européenne s'autoalimente et s'autoentretient.

Le malheur des uns fait ainsi les difficultés des autres.

Aider les autres, c'est donc s'aider soi-même…

Au-delà des aspects théoriques, les risques concrets sont importants. Nous les avons vus : il y a d'abord littéralement un risque d'effondrement économique en Grèce, compte tenu de sa difficulté à réduire ses déficits et de la chute de son taux d'investissement qui ampute lourdement son potentiel de croissance. Il y a là un risque à la fois de K.-O. et de chaos. Avec à la clé, sur fond de catastrophe sociale et politique, un défaut de paiement en bonne et due forme aux conséquences désastreuses pour tous. En dehors de la

Grèce, les vrais risques systémiques sont l'Italie, l'Espagne et la France. Dans les deux premiers cas, le risque est celui d'une perte de confiance des investisseurs face à l'importance des emprunts à venir de ces pays, dans un contexte de récession et de dégradation continue de leurs finances publiques. Une crise de liquidités conduirait immanquablement à une crise de solvabilité. Le risque français est d'une nature différente. Il est d'abord et avant tout lié à ses institutions financières, banques et compagnies d'assurances, qui ont une structure de capital parmi les plus fragiles en Europe. C'est-à-dire qu'elles sont très endettées et peu capitalisées. Elles pourraient ainsi se retrouver en position très délicate en cas d'aggravation de la crise dans les pays d'Europe du Sud, compte tenu des créances importantes qu'elles détiennent sur ces pays. Une intervention de l'Etat français serait alors rendue nécessaire, sous la forme d'une recapitalisation des banques, avec toutes les conséquences associées : nouvelle dégradation de la qualité de la signature de l'Etat français et forte hausse des taux d'intérêt, rendant problématique la restauration à moyen terme des comptes publics.

En Europe, comme en Asie à la fin des années 1990, les risques de contagion sont donc très élevés, avec une possibilité d'effet domino où la défaillance d'un pays entraîne la chute d'un deuxième, puis d'un troisième. A la fin, tout le monde se retrouve à terre, même les pays qui étaient en pleine santé.

Chacun pour soi et le pire pour tous

Ce scénario des dominos apparaît d'autant plus réaliste que les Européens démontrent chaque jour leur impuissance à réagir et à stopper la contagion. C'est un peu comme si un virus nouveau et mortel était apparu et que les autorités sanitaires mondiales ne faisaient rien pour enrayer sa propagation. L'Europe n'existe pas, elle n'agit pas. Pire, elle joue contre elle-même. La meilleure illustration en est ce que l'on appelle les stratégies non coopératives.

Première illustration de stratégie non coopérative : il n'existe aucune coordination des politiques budgétaires en Europe. Chacun cherche à réduire le plus vite possible ses déficits publics. Partout en Europe. Or, les Etats européens sont dans des situations très différentes. Il y a des pays qui, bien sûr, ont des déficits excessifs et des dettes excessives, et ceux-là ont le devoir impérieux de les réduire. Mais il y a des pays qui ont des niveaux de dette et de déficits publics très raisonnables, comme l'Allemagne, les Pays-Bas ou l'Autriche.

Presque trop raisonnables. Une stratégie coopérative, solidaire, impliquerait que, quand certains pays sont contraints de mener des politiques d'austérité aux effets récessifs, tous ceux qui conservent à l'inverse des marges de manœuvre budgétaire relancent effectivement leur économie ; qu'ils acceptent de faire du déficit budgétaire pour stimuler leur consommation et accroître leurs importations, donc les exportations des autres et la croissance dans le reste de l'Europe. Une politique coopérative consiste à ce que tous les pays ne fassent pas la même chose en même temps, et à trouver au contraire un équilibre et une harmonie entre les différents Etats pour que la zone s'en sorte le mieux possible. C'est tout le contraire que fait l'Europe.

Autre illustration : l'absence de coordination des politiques salariales. Dans tous les pays de la zone euro, on observe désormais soit une stabilisation, soit même une baisse des salaires. Ce qui conduit mécaniquement à une baisse de la demande intérieure et donc de la croissance. Depuis le début de la crise financière, tous les pays européens vont aveuglément dans le même sens, en cherchant à redresser leur compétitivité pour améliorer leurs exportations. Or, le fait, dans une zone très intégrée commercialement, que tous mènent la même stratégie de compétitivité en même temps a pour conséquence de réduire la demande intérieure de chacun et donc de diminuer les exportations de tous. Les pays sont certes tous plus compétitifs mais les carnets de commandes à l'exportation se vident. Le poids des exportations de chaque pays européen vers la zone euro est une mesure de l'intégration commerciale : les exportations allemandes sont à 42 % tournées vers la zone euro, les exportations françaises à 48 %, les espagnoles à 55 %, les hollandaises à 57 %.

Dans un tel cadre, il faudrait identifier les pays en mesure d'augmenter plus vite que les autres leurs salaires réels afin de soutenir leur demande intérieure, ceux dont la profitabilité des entreprises est la plus élevée. Et il faudrait ensuite que ces pays mettent en œuvre des politiques de soutien de la demande. Là encore, une politique coopérative consisterait à différencier les situations et les stratégies économiques des pays de la zone pour les coordonner dans l'intérêt de tous. Au lieu de cela, c'est la règle du chacun pour soi et du pire pour tous.

Troisième illustration de politique non coopérative : l'absence d'articulation entre la politique monétaire et la politique budgétaire. La logique voudrait que l'on ait en Europe une politique monétaire très expansionniste afin de compenser les effets des politiques budgétaires restrictives. Très expansionniste, cela ne signifie pas seulement avoir des taux d'intervention de la BCE les plus bas possible. Cela veut dire aussi que la BCE accumule des réserves en dollars (donc vend des euros en grande quantité) pour lutter contre la surévaluation de la monnaie européenne, défavorable aux exportations de la zone euro vers le reste du monde. Ce n'est là encore absolument pas le cas, sans que l'on puisse d'ailleurs en faire le reproche formel à la BCE, puisque sa seule mission à ce jour, fixée par les traités, est d'assurer la stabilité des prix.

Au total, l'Europe mène une stratégie économique exactement contraire à celle qu'elle devrait mener et développe des politiques non coopératives qui favorisent les comportements de *free-rider*, de passager clandestin. L'Europe a une monnaie mais elle n'a pas de politique économique, ce qui explique son impuissance face à la crise.

Une Europe en perdition

En perdition, parce que pleine de contradictions. Née comme une communauté de libre-échange, elle a toujours aspiré à devenir une union politique sans jamais y parvenir. Ses principes fondateurs sont d'essence libérale et nationale. La règle est celle de la subsidiarité : l'Union européenne n'est une union que par défaut, elle n'agit que lorsqu'un Etat membre ne parvient pas à régler seul ses difficultés. Il n'y a pas de solidarité, comme le montre le principe du *no bail out*, c'est-à-dire le fait qu'un Etat ne puisse venir en aide à un autre. L'union politique reste une illusion.

En perdition, parce qu'à géométrie variable avec près d'une dizaine d'Europe différentes et aux périmètres différents qui coexistent (l'espace Schengen, la zone euro...), conduisant à une réalité diffuse et floue, là encore sans unité ni identité forte.

En perdition, parce que sa gouvernance est insaisissable. Son fonctionnement institutionnel est complexe, avec un Conseil européen qui représente les Etats membres – mais au fonctionnement grippé –, un Parlement européen qui représente les peuples – mais dénué de tout pouvoir réel – et une Commission européenne garante de l'intérêt général et censée représenter les citoyens européens – mais sans représentativité réelle. Le système de droit de vote des pays est absurde et inefficace, donnant un poids ridiculement excessif aux petits pays, et ce alors que l'Union compte 11 pays de moins de six millions d'habitants et 8 de moins de cinq millions.

En perdition, parce que reposant sur des principes obsolètes, comme les fameux critères de finances publiques de 3 % de déficit budgétaire maximum et de 60 % de dette maximum (rapportés dans les deux cas au PIB), critères quantitatifs, statiques et dépassés. Le déficit de 3 % était supposé stabiliser l'endettement public à 60 %, niveau jugé raisonnable dans les années 1990, compte tenu d'une hypothèse de croissance moyenne de 5 %. Dit autrement, dès lors que le taux de croissance est inférieur à 5 %, pour stabiliser la dette il ne faut pas un déficit budgétaire de 3 %, mais un plus bas encore. Ces critères, qui probablement étaient valables et nécessaires lorsqu'ils ont été définis pour assurer la convergence avant le passage à l'euro, sont aujourd'hui dépassés et inopérants.

En perdition, enfin, parce qu'elle n'a jamais su corriger sa fragilité initiale : la grande asymétrie entre les pays, la grande différence entre les situations économiques. La crise a révélé que l'hétérogénéité entre les Etats restait forte, qu'il existait bien deux Europe dans la zone euro : une Europe du Nord et une Europe du Sud. Une Europe du Nord (Belgique, Pays-Bas, Allemagne, Autriche, Finlande) croissant de deux points plus vite en moyenne que l'Europe du Sud, avec des déficits budgétaires inférieurs et une moindre dette. Deux Europe aux évolutions salariales divergentes, aux spécialisations productives contraires (l'industrie au Nord, les secteurs protégés au Sud), aux efforts d'innovation et de recherche à deux vitesses. Cette hétérogénéité nécessiterait de pouvoir utiliser de manière proactive et différenciée les politiques économiques autres que la politique monétaire, puisque celle-ci est commune, mais cela est impossible en raison du pacte de stabilité.

De fait, l'Europe est incapable de s'aider soi-même. Le symbole ultime en a été l'intervention du FMI en Europe en mai 2010 à l'occasion du plan de sauvetage de la Grèce. Formidable revanche de l'Histoire, les interventions du FMI ayant été réservées jusqu'à présent aux régions émergentes. Jamais le FMI n'aurait dû intervenir en Europe, dans une affaire interne européenne. L'Europe est en effet solvable quand on la considère dans son ensemble, elle avait donc la capacité, prise globalement, de faire face à la crise dès lors qu'elle s'organisait ; le recours au FMI est la démonstration même, l'illustration la plus pure de son incapacité à se mettre en ordre de marche pour se sauver. La nécessité pour l'Europe de faire appel au FMI, à un gendarme extérieur, à une tierce institution de surcroît largement financée par les pays émergents, est à la fois le signe terrible de son affaiblissement et un incroyable abandon de souveraineté. Abandon de souveraineté de l'Europe au reste du monde, aux conséquences bien plus fortes et dramatiques que les abandons de souveraineté des Etats membres à l'Union européenne.

Des dirigeants européens dépassés

Si les dirigeants européens se sont montrés impuissants à endiguer la crise, c'est qu'ils ont accumulé les erreurs :

— Ils n'ont jamais pris la mesure de sa gravité, comme le montrent notamment leurs déclarations successives au fur et à mesure des sommets, se félicitant chaque fois d'avoir sauvé l'Europe avant de retomber chaque fois encore plus bas ; les mesures prises relevant au mieux de la déclaration d'intention, au pire de la gesticulation, mais toujours de l'autosatisfaction ; cela explique, nous l'avons vu, la lenteur de la réaction européenne face aux crises, et notamment à celles de la Grèce et de l'Irlande, qui ont ouvert la voie à la contagion entre les pays.

— Quand ils ont commencé à agir, ils se sont trompé de diagnostic, ne distinguant pas entre les pays souffrant d'une crise de solvabilité (Irlande, nécessitant des politiques de redressement) et ceux souffrant d'une crise de liquidités (Grèce, nécessitant des financements extérieurs).

— Les actions qu'ils ont mises en œuvre sont apparues au mieux insuffisantes, au pire inadaptées, dans tous les cas inefficaces et contre-productives. L'hyperaustérité grecque, qui relève quasiment de la logique punitive, en est un exemple. Le sommet européen du 9 décembre 2011 en est un autre exemple, qui a décidé la mise en œuvre de la règle d'or pour l'ensemble des pays européens et des sanctions en cas de non-respect des objectifs budgétaires. Autrement dit, la mise en place d'une sorte de police budgétaire en Europe. La règle d'or, c'est-à-dire l'obligation de revenir à l'équilibre budgétaire, vise à empêcher le laxisme financier. Mais elle est dangereuse parce que excessive. Elle revient à interdire l'investissement public par endettement et entrave ainsi le financement de programmes d'investissement publics essentiels. Elle est en outre inefficace : on l'a vu, la discipline budgétaire ne suffit pas à empêcher l'apparition de crises de liquidités.

— Ils n'ont jamais mis en place les mesures de secours permettant de rétablir la confiance et de nature, par leur ampleur et leur efficacité, à étouffer l'incendie. Il n'existe de fait aucun extincteur suffisant : les moyens du FESF sont limités (440 milliards d'euros au total, dont 250 milliards déjà utilisés, à comparer à la seule dette italienne, par exemple, de 2 000 milliards) ; la BCE a indiqué ne plus vouloir poursuivre ses achats de dette publique.

Ce ne sont ni le G8 ni le G20 qui gouvernent l'Europe et le monde d'aujourd'hui. C'est le GZéro : la gouvernance par le vide ; l'absence de dirigeants responsables, clairvoyants, efficaces, justes ; l'absence de dirigeants dignes de ce nom, à la hauteur des enjeux.

Pire, et à l'exact opposé de leurs discours, les dirigeants européens ont abdiqué face aux marchés financiers. Les exemples sont multiples. L'élargissement de la capacité d'action du FESF de 400 à 1 000 milliards, toujours annoncé jamais mis en œuvre, repose sur deux mesures dictées par les marchés, véritables usines à gaz, incompréhensibles et donc inapplicables. Tout d'abord la création de fonds dits de coïnvestissement public/privé, destinés à acheter des titres d'Etat européens, sans que personne ne sache d'où viendraient les fonds privés en question, ni même publics, et dont le FESF supporterait une première tranche de pertes pour favoriser ainsi ces achats de titres. Les dirigeants européens ont ainsi réinventé, sans le savoir, la titrisation sur la dette publique européenne, accusée par eux-mêmes d'avoir provoqué la crise des *subprimes* ! Ensuite, deuxième mesure, la vente par le FESF de certificats de protection partielle d'assurance sur les obligations émises par les Etats européens, certificats détachables des obligations principales et négociables sur les marchés. Les dirigeants européens ont, là, réinventé, sans le savoir, les CDS, ces produits d'assurance contre les défauts de paiement, accusés par eux-mêmes d'avoir accéléré la crise !

Même chose de l'attitude face aux agences de notation, accusées – justement – de s'être systématiquement trompées et de n'être responsables devant rien ni personne, ce qui est vrai. Mais qui les a faites reines, sinon les Etats ? Qui leur a donné le pouvoir qu'elles ont aujourd'hui, sinon les gouvernements américain et européens ? Qui a depuis dix ans systématiquement demandé aux régulateurs de prendre en compte, pour garantir la solidité des institutions financières, les seules notations de ces agences ? Qui a défini la politique d'investissement de la BCE en fonction de ces notations ? Les dirigeants politiques. Par démission, par incapacité ou refus d'assumer leurs responsabilités, ils ont délégué institutionnellement à ces agences la mesure de l'appréciation du risque en donnant à leurs notations une valeur de norme, une force de droit et de loi. Le résultat est une chute des marchés quand les notes sont abaissées, un certain nombre d'institutions financières se trouvant obligées de céder leurs titres pour se conformer aux réglementations fixées par les pouvoirs publics eux-mêmes.

Il n'y a plus de place pour les égoïsmes nationaux. Les difficultés des uns font les difficultés des autres. Plus personne ne peut penser qu'il a la possibilité de s'en sortir seul. On peut le refuser ou l'accepter. Le refuser, c'est conduire à l'explosion de la zone euro, avec toutes les conséquences dramatiques associées. L'accepter, en revanche, c'est aussi accepter d'aller plus loin dans l'intégration politique. Beaucoup plus loin.

Le scénario du pire

Le pire est désormais possible, l'euro n'est plus immortel. Le scénario de la disparition de la monnaie unique, qui apparaissait hier encore comme impensable, est aujourd'hui crédible. Scénario noir, scénario du désastre monétaire, de l'horreur économique et de la catastrophe politique.

L'explosion de la zone euro pourrait résulter soit de l'effet de contagion de la crise d'un pays à un autre, soit de la sortie d'un seul pays de la zone euro.

L'effet de contagion déjà évoqué et la transmission de la crise d'un Etat à un autre rendraient le coût du sauvetage de la zone euro beaucoup trop élevé pour que les mécanismes de solidarité puissent jouer. Sauver un petit pays dit « périphérique », comme la Grèce ou le Portugal, qui représentent chacun moins de 2 % du PIB européen, est théoriquement possible quand les autres Etats membres de la zone joignent leurs efforts. Mais si la contagion venait à gagner des pays comme l'Espagne, l'Italie ou la France, le sauvetage deviendrait impossible, compte tenu de leur taille respective. Parce que les mécanismes de soutien existants, les moyens financiers dérisoires du FESF ou de la BCE, ne seraient plus à la hauteur des besoins et ne permettraient pas de faire face. Et qu'aucun Etat ne serait probablement prêt ni n'aurait la capacité financière de participer à un tel sauvetage. La zone euro finirait alors par se disloquer.

Un risque de dislocation

Même si un seul pays venait à sortir de la zone euro, ce serait le début de la fin de la zone euro prise dans son ensemble. La sortie de l'un marquerait la fin du tout. L'Europe aurait fait la démonstration de son incapacité à protéger, à faire jouer les mécanismes de solidarité. Elle aurait démontré que la zone euro n'est pas une famille unie, n'a pas de réalité, que l'idée d'un bouclier commun n'était qu'illusion. En abandonnant un seul de ses membres le long du chemin à la moindre difficulté, elle ouvrirait la voie à la spéculation sur les autres pays. Si l'un d'eux était expulsé, les autres aussi pourraient l'être. Ce ne serait alors plus qu'une question de temps pour que les dominos tombent les uns après les autres.

Et peu importe que cette sortie de la zone se fasse de gré ou de force, les conséquences seraient les mêmes. Un pays pourrait être contraint à sortir, expulsé sans ménagement, reconduit aux frontières de la zone euro, si les autres pays voyaient en lui un risque pour eux-mêmes, une sorte d'infection localisée mais risquant de gagner le corps tout entier. Paradoxalement, cela n'empêcherait en aucune manière la contagion, bien au contraire. Une telle sortie de force d'un pays créerait aux yeux des marchés un précédent applicable à d'autres pays. La disparition de l'euro serait programmée à terme.

Un pays pourrait également décider de sortir de lui-même de la zone euro, parce qu'il jugerait que les coûts de son maintien dans l'euro seraient devenus supérieurs aux bénéfices attendus. Quels sont ces bénéfices ? La zone euro doit tout à la fois apporter la paix, la prospérité et la stabilité. La paix monétaire d'abord, puisqu'il n'y a plus de guerre de taux de change et que les pays de la zone se retrouvent ainsi à l'abri des dévaluations compétitives de leurs voisins, menaçantes pour leur croissance. La prospérité ensuite, grâce à un bas niveau de taux d'intérêt rendu possible par une banque centrale unique et forte, une politique monétaire crédible et l'effet d'entraînement de grands Etats vertueux économiquement puissants. La stabilité, enfin, résultant de la libre circulation des capitaux, des hommes et des marchandises à l'intérieur de la zone, facilitée par le fait d'avoir une même monnaie et favorisant la convergence et le rééquilibrage des niveaux de vie.

Un pays pourrait décider de sortir de la zone euro s'il considérait que ces avantages avaient disparu ou étaient devenus minimes au regard des coûts associés. Ce pourrait être le cas, si la circulation de l'épargne et des capitaux ne se faisait plus de manière efficace, rendant difficile le financement du pays, par exemple parce que ses taux d'intérêt augmenteraient à un niveau supérieur à celui de ses voisins pourtant hors de la zone euro. C'est le cas en Grèce aujourd'hui : les taux d'intérêt grecs sont plus élevés que ceux de la République tchèque, de la Hongrie et même de la Roumanie ! En cas de sortie de la zone euro, les taux ne monteraient en théorie pas nécessairement plus, tout en permettant au pays de se libérer des contraintes liées à l'appartenance à la zone euro, de desserrer l'étau sur ses finances publiques et de relancer sa croissance. Ce pourrait également être le cas si ses besoins de politique économique apparaissaient différents du reste de la zone euro : politique monétaire décidée par la BCE trop restrictive et ne correspondant plus à celle qu'il faudrait pour le pays, politique de change empêchant de dévaluer pour relancer les exportations et regagner de la croissance... Ce pourrait enfin être le cas si le poids de sa dette était devenu tellement insupportable et asphyxiant pour l'économie que la seule solution serait de faire défaut sur la totalité de celle-ci, de décider de ne plus la rembourser du tout, et de devoir alors sortir de la zone, d'une part, pour éviter l'effet de contagion aux autres pays et, d'autre part, pour pouvoir mener les politiques de redressement à l'abri des regards et des contraintes européennes.

Il faut préciser à ce stade qu'il est possible matériellement, techniquement, de sortir rapidement de la zone euro, ce qui explique les tentations de certains, pour eux-mêmes ou pour les autres... Prenons l'exemple de la Syldavie, ce pays imaginaire des *Aventures de Tintin*, situé en Europe centrale et que l'on supposera membre de la zone euro. Si la Syldavie décidait soudainement d'abandonner l'euro et de créer l'« euro syldave » – plutôt que de revenir au khôr, son ancienne monnaie nationale, manière pour elle de dire que la sortie n'est peut-être que temporaire –, elle n'aurait naturellement pas le temps de battre une nouvelle monnaie. Elle ne pourrait d'ailleurs pas s'y préparer sans que cela se sache et provoque un effet de panique et un effondrement du pays par fuite des capitaux. Il faudrait donc qu'elle opère ce basculement d'un coup soudain. Elle demanderait alors aux banques syldaves de convertir en un instant de raison, au cours d'une nuit ou d'un week-end, tous les comptes qu'elles gèrent, en euro syldave (à une parité définie). Elle leur demanderait également de percer toutes les pièces et de tamponner en rouge « euro syldave » sur tous les billets qu'elles détiennent dans leurs succursales, leurs guichets, leurs distributeurs, leurs coffres... Les billets et pièces déjà en circulation dans le pays, qui se trouveraient à cet instant dans les poches, les portefeuilles ou sous les matelas des Syldaves, ne seraient donc ni tamponnés ni percés. Ils resteraient de l'euro, avec le pouvoir d'achat de l'euro, et seraient transformés en euro syldave au fur et à mesure de leur retour dans les banques. La Syldavie aurait ainsi bien changé de monnaie. Sa banque centrale nationale se substituerait à la BCE pour assurer le financement des banques et de l'économie syldaves, en faisant tourner la planche à billets.

En résumé et en théorie, un pays a intérêt à rester dans la zone euro tant que les avantages, moins d'inflation et taux d'intérêt bas, l'emportent sur les coûts. A l'inverse, il a intérêt à sortir dès lors que les coûts l'emportent sur les avantages.

Des conséquences dramatiques

La pratique, la réalité, c'est que, dans tous les cas, et quel que soit d'ailleurs le scénario de sortie, les coûts seraient dramatiquement élevés, en tout état de cause très largement supérieurs aux avantages supposés et attendus d'une telle sortie, non seulement pour le pays qui sortirait, mais aussi pour le reste de la zone euro. Le scénario serait perdant/perdant dans des proportions terribles.

Regardons d'abord les conséquences pour le pays qui sortirait, puis pour le reste de la zone.

La première conséquence, pour le pays sortant, ce serait une chute du taux de change, brutale, immédiate, incontrôlable, par perte de confiance des investisseurs et fuite des capitaux. Bref, pour reprendre notre exemple, l'incertitude, l'aléa, le danger, le risque deviendraient alors tels que les marchés « vendraient » tous les actifs qu'ils détiennent en Syldavie. Cela reviendrait à vendre de l'euro syldave contre d'autres monnaies. Le cours de celui-là s'écroulerait alors par rapport à l'euro. Avec pour effet possible certes d'améliorer la compétitivité du pays mais aussi de faire s'envoler les prix des importations, et donc, au moins dans un premier temps, de dégrader le commerce extérieur, de réduire très fortement le pouvoir d'achat et donc la croissance. Les importations seraient immédiatement payées plus cher alors qu'il faudrait attendre pour gagner des parts de marché et stimuler les exportations.

Deuxième conséquence, une envolée de l'inflation en raison, d'une part, de la hausse du prix des importations et, d'autre part, de la monétisation de la dette devenue nécessaire devant le départ des prêteurs étrangers. Monétiser la dette, cela veut dire que la banque centrale fabrique de la monnaie, fait tourner la planche à billets pour financer les déficits budgétaires. Des déficits forcément considérables et croissants puisque l'Etat devrait faire face à une chute de la croissance et donc à un effondrement de ses recettes fiscales.

La porte serait grande ouverte dans ce pays pour un retour de l'hyperinflation.

Troisième conséquence, une explosion des taux d'intérêt, pour les mêmes raisons que le taux de change chuterait : une réévaluation à la hausse du risque de ce pays, désormais seul face à lui-même, et le fait que plus personne ne voudrait lui prêter, sauf à des conditions proches de l'usure par peur de ne jamais être remboursé. Son financement même deviendrait incertain. Flambée des taux d'intérêt, dégradation de la balance commerciale, envolée de l'inflation, chute du crédit compte tenu du niveau des taux d'intérêt et de la faiblesse de la liquidité du pays, contraction de la demande intérieure, cela voudrait dire au total une récession très profonde et un appauvrissement considérable.

Dernière conséquence, le coût des engagements du pays et de sa dette, restant libellés en euros, deviendrait insupportable en raison de l'effondrement du taux de change de la nouvelle monnaie : il ne faudrait plus un euro pour rembourser un euro de dette, mais désormais, par exemple, cinq euros syldaves pour rembourser ce même euro de dette. Le ratio dette/PIB exploserait, et ce d'autant plus que le PIB lui-même baisserait sous l'effet de la récession.

Au total, les simulations qui ont pu être faites pour le pays sortant de l'euro font apparaître en moyenne une récession supérieure à 10 %, une chute de sa devise de l'ordre de 50 %, une inflation nettement supérieure à 10 %, des taux d'intérêt à deux chiffres… Quittons la Syldavie et prenons un exemple concret, purement théorique, celui de la Grèce. En cas de sortie de la zone euro – dont les objectifs seraient d'annuler la dette, de dévaluer très fortement et de relancer sa croissance –, elle connaîtrait en réalité un scénario noir, sans comparaison avec la crise qu'elle connaît actuellement. D'abord, l'espoir d'une relance des exportations grecques par la baisse du taux de change serait parfaitement vain. Pourquoi ? Parce que la Grèce exporte peu, parce qu'elle n'a quasiment plus d'industrie. La valeur ajoutée industrielle ne représente que 8 % du PIB grec, c'est-à-dire rien. Jusqu'à présent, la Grèce arrivait, bon an mal an, à s'équilibrer grâce au tourisme. Mais en sortant de l'euro, les flux positifs du tourisme seraient plus que neutralisés par l'explosion des taux d'intérêt et donc de la charge de la dette. Bien sûr, la Grèce pourrait alors faire défaut sur sa dette. Compte tenu du poids de la charge d'intérêts, cela diviserait mécaniquement par deux son déficit extérieur, passant de 10,5 % à 5,5 % du PIB. Un petit miracle, sauf qu'il resterait tout de même 5 % de déficit à financer et sans personne pour le faire, puisque les prêteurs étrangers s'y refuseraient. La seule façon de rééquilibrer alors les comptes, ce serait de diminuer les importations, donc de moins consommer. Mais pas dans de petites proportions. La Grèce devrait réduire sa demande intérieure d'au moins 25 %, c'est-à-dire bien plus que la contraction provoquée par l'austérité budgétaire actuelle. Quant au système bancaire grec, il se retrouverait à terre, ruiné par le défaut de l'Etat, les défaillances des entreprises et l'envolée des créances douteuses auprès des particuliers. Bref, aucun des avantages théoriques d'une sortie de l'euro ne fonctionnerait, ici comme ailleurs. Le remède serait pire que le mal, sans parler des menaces de désordre politique grave et de mise en péril de la démocratie, sans parler de la désagrégation du tissu social.

Les conséquences seraient donc dramatiques pour le pays sortant de la zone euro, mais les coûts seraient également très élevés pour les Etats membres qui resteraient dans la zone euro. Les raisons sont les mêmes que pour le pays sortant, mais à l'inverse. Comme l'avers et le revers d'une même pièce.

Là où le pays sortant allégerait sa dette par un défaut partiel au total, les autres pays devraient supporter le coût de la forte – ou totale – perte de valeur de cette dette, ainsi que les pertes liées à la dévalorisation des autres actifs détenus dans ce pays, qu'il s'agisse d'entreprises ou d'actifs financiers. Ces coûts pourraient se chiffrer en centaines ou milliers de milliards d'euros. Les institutions financières de ces pays détenant ces actifs ne pourraient probablement pas faire face à de tels niveaux de pertes, rendant ainsi nécessaire l'intervention des Etats et les fragilisant d'autant. Pour illustrer ce risque, regardons la part de la dette publique en Europe du Sud détenue par les investisseurs étrangers : 70 % en Grèce, 75 % au Portugal, 45 % en Espagne et en Italie... En cas de défaut total sur la dette, la perte s'élèverait à 100 %. Si le pays ne faisait pas défaut, hypothèse peu probable, la perte représenterait au minimum l'équivalent de la dépréciation du taux de change. Cela voudrait dire des faillites de banques en chaîne dans toute la zone.

De la même façon que le pays sortant de la zone euro pourrait par ailleurs espérer à terme un redressement de sa compétitivité par la baisse de son taux de change, les pays restant dans la zone euro subiraient, eux, l'effet négatif et inverse d'une perte de compétitivité vis-à-vis de ce pays. La valeur de l'euro s'apprécierait face à la monnaie du pays sortant, renchérissant donc le coût de leurs exportations, les réduisant à terme et affectant d'autant leur croissance. Ajoutons enfin le risque de l'effet de contagion déjà évoqué : la sortie d'un pays de la zone euro conduirait à sa dislocation et à une catastrophe générale.

Un précédent : l'explosion du SME en 1992

Ces évidences n'empêchent pas certains, principalement en Allemagne mais aussi ailleurs, de réclamer l'exclusion de tel ou tel pays de la zone euro. Cette tentation s'inscrit, il est vrai, dans un environnement particulier : les Allemands notamment sortent de vingt années d'efforts qui ont suivi la réunification : ajustements budgétaires très importants, déréglementation du marché du travail, compression des coûts salariaux, recul du pouvoir d'achat... Le résultat est connu : des performances à l'exportation remarquables, le retour d'une croissance forte, un chômage bas, des comptes publics tenus, une consommation qui repart. En un mot, l'élève modèle grâce à la rigueur qu'il s'est imposée et qu'il veut maintenant imposer aux autres

Mais l'Allemagne a la mémoire courte. Elle devrait se souvenir qu'elle n'a pas emprunté ce chemin de la rigueur spontanément, mais qu'elle y a été contrainte par la crise du système monétaire européen (SME) en 1992-1993. Elle devrait se rappeler que l'explosion du SME – marquée alors par la sortie de l'Espagne, de l'Italie et du Royaume-Uni – l'avait conduite à une crise économique très profonde. Exactement de même nature, mais de bien moindre ampleur, que ce que provoquerait aujourd'hui la sortie d'un pays de la zone euro ou une dislocation de celle-ci. L'Allemagne avait alors dû faire face à une baisse de sa compétitivité et à une dégradation très forte de son commerce extérieur. Il lui a fallu de longues années pour s'en remettre, en menant une politique de rigueur et en bénéficiant par la suite des avantages forts pour elle de la zone euro.

En ce sens, l'explosion du SME en 1992-1993 illustre les conséquences de la sortie d'un ou de plusieurs pays d'une zone monétaire sur le ou les pays restant dans la zone. Elle est riche d'enseignements pour comprendre ce qui nous guette en cas de réalisation du scénario du pire.

Les raisons de l'explosion du SME en 1992-1993 sont simples : l'Espagne, l'Italie et le Royaume-Uni ne supportaient plus les effets très négatifs de l'ancrage de leur monnaie au Deutsche Mark. A la suite de la réunification, les Allemands avaient en effet relevé leurs taux d'intérêt pour prévenir les tensions inflationnistes. Les autres pays membres du SME s'étaient alors vus contraints de remonter leurs propres taux d'intérêt dans la foulée, afin que leurs monnaies restent constantes, ne se déprécient pas, face au Deutsche Mark. Résultat : les taux d'intérêt dans ces pays étaient devenus trop élevés par rapport à ce qu'exigeaient leurs propres situations économiques. Ils subissaient le niveau élevé des taux d'intérêt allemands alors qu'eux-mêmes n'avaient ni choc de réunification ni menaces inflationnistes. L'Italie, l'Espagne, le Royaume-Uni, mais aussi la France, souffraient donc de taux d'intérêt et de taux de change trop élevés, avec pour conséquence d'étouffer leur croissance. Ils ont fini par sortir du SME en considérant que les inconvénients l'emportaient sur les avantages.

Déjà à l'époque, les Allemands auraient pu faire jouer les mécanismes de solidarité et apaiser les tensions. Ils auraient pu intervenir sur le marché des changes pour faire baisser le cours du Deutsche Mark, réduire ce faisant leurs taux d'intérêt et alléger ainsi la pression pesant sur les autres pays membres du SME. Mais, entièrement occupés à gérer leur propre réunification, tournés vers eux-mêmes et leurs propres difficultés, ils n'ont rien fait et ont délibérément laissé le SME exploser. Les conséquences ont été terribles. Pour tous. Le Deutsche Mark s'est alors envolé, de l'ordre de 35 % par rapport à la peseta espagnole et de 40 % par rapport à la lire italienne, ce que les Allemands ont payé cher et longtemps. Ils ont subi une récession en 1993 puis une longue période de croissance faible. Leur commerce extérieur s'est dégradé (d'un excédent important en 1988, il est passé à zéro en 1993), leur chômage a explosé (6 % en 1992, plus de 10 % en 1997). Il leur a fallu plus de dix ans d'efforts pour se redresser et l'acceptation collective d'une rigueur salariale extrême (le coût salarial unitaire, base 100 en 1988, était de 120 en Allemagne en 2010 contre 190 dans le reste de la zone euro) pour redevenir compétitifs.

Peut-on penser, et les Allemands notamment peuvent-ils le faire ?, qu'une dislocation de la zone euro aurait des conséquences moins graves que l'explosion du SME ? Non. Au contraire, elles seraient bien plus lourdes parce que les Allemands sont beaucoup plus intégrés à l'Europe qu'ils ne l'étaient à l'époque. Au moment de l'explosion du SME, le poids des exportations allemandes à destination du Royaume-Uni, de l'Espagne et de l'Italie représentait 3,5 % du PIB allemand. Aujourd'hui, le poids des exportations allemandes vers les seuls Grèce, Portugal, Italie et Espagne est de 4,5 %. Les exportations de l'Allemagne vers la zone euro (ou son équivalent) représentaient 10 % du PIB allemand en 1992, contre 20 % aujourd'hui. Deux fois plus. De fait, environ la moitié des exportations allemandes sont aujourd'hui à destination de la zone euro, 63 % si l'on y ajoute les pays d'Europe centrale et de l'Est. Le marché allemand, c'est donc d'abord et avant tout l'Europe. Une dislocation de la zone euro, avec la probable envolée de leur monnaie qui s'ensuivrait, aurait des conséquences économiques catastrophiques pour l'Allemagne. Ne pas tout faire pour sauver la zone euro de l'éclatement, ce ne serait pas seulement pour l'Allemagne commettre une erreur historique majeure, ce serait aussi se montrer irresponsable pour elle-même. Cela la condamnerait à vingt ou trente ans d'efforts et de souffrance pour restaurer sa compétitivité comme l'éclatement du SME lui en avait déjà imposé une bonne dizaine d'années.

Le moment est venu de résumer : le pays qui sortirait de l'euro, avec l'espoir à moyen terme d'une amélioration de sa croissance grâce aux gains de compétitivité ou à l'effacement de sa dette, connaîtrait un choc négatif d'une telle intensité – commerce extérieur, explosion des taux d'intérêt, défauts et faillites en tout genre, effondrement du pouvoir d'achat et de la croissance – que ses fondements mêmes seraient remis en cause. Les pays restant dans l'euro subiraient de leur côté des pertes financières majeures et un effondrement de leur compétitivité. Surtout, la zone euro aurait perdu sa crédibilité dans le reste du monde, conduisant à un renchérissement général des taux d'intérêt et à un probable effet domino. Les investisseurs américains ou asiatiques se diraient que ce qui s'est passé en Syldavie peut aussi se produire en Foldavie ou ailleurs dans la zone, et s'en retireraient.

Le scénario d'un éclatement de la zone euro, impensable il y a deux ans, est aujourd'hui devenu possible ou probable. Scénario terrifiant tant ses coûts seraient dramatiques. Pour tous. Personne n'échapperait à la catastrophe. Il faut être irresponsable pour ne pas le comprendre et ne pas réagir. Il ne s'agit pas seulement de sauver une monnaie, il s'agit d'éviter une catastrophe économique, politique et sociale, il s'agit d'empêcher un effondrement du niveau de vie des habitants de la zone euro, une détérioration de leurs conditions d'existence au quotidien. De les préserver, concrètement, d'une explosion des taux d'intérêt qui casserait la croissance en deux, et de les protéger d'un plongeon du pouvoir d'achat et d'un nouvel appauvrissement des classes moyennes. La dislocation de la zone euro, c'est d'abord l'assurance d'une augmentation vertigineuse de la pauvreté et de la précarité dans toute l'Europe.

L'Europe éclatée, émiettée, divisée, humiliée, déprimée serait plus impuissante encore qu'elle ne l'est face aux empires qui, dans le reste du monde, sont en train de se construire. Son déclin s'accélérerait jusqu'à ce qu'elle disparaisse entièrement des écrans radar de la croissance mondiale.

Le scénario du meilleur

Pour éviter le scénario du pire, l'Europe n'a d'autre choix que d'inventer le scénario du meilleur. Celui de l'intégration poussée et de la solidarité sans faille.

A la démission des dirigeants européens face aux marchés financiers, déjà évoquée, répond une autre forme de démission : le renoncement politique. Dans le domaine européen, le renoncement se traduit par le refus de prendre des initiatives fortes, pourtant indispensables, sous prétexte que les opinions publiques ne seraient pas prêtes. Et de faire le choix de l'inaction, au risque de notre marginalisation. Or, le rôle d'un politique n'est pas de suivre l'opinion dominante ou de se laisser guider par les sondages. C'est au contraire de devancer l'opinion publique, de faire acte de pédagogie et non de démagogie, d'affronter la complexité et la difficulté, d'expliquer et de convaincre de ce qui peut être dur mais nécessaire. C'est donner un horizon, faire partager une vision, une ambition, un souffle. C'est de faire preuve de courage, pas dans les mots mais dans les actes.

Les difficultés actuelles de la zone résultent de sa faiblesse initiale, de son péché originel : elle est inaboutie. Avoir une monnaie unique sans politiques économique, budgétaire ou fiscale uniques, sans harmonisation ou sans intégration, n'a non seulement pas de sens mais est dangereux. Une zone monétaire qui n'est que monétaire, sans au moins une coordination, une harmonisation ou, au plus, une intégration économique et politique, n'est tout simplement pas viable. Chacun est assis autour de la même table, l'euro, mais peut tirer sur la nappe, par ses politiques nationales, au risque de tout renverser. Nous sommes arrivés aujourd'hui à la limite du système, à son point de rupture. Nous sommes à un tournant. Le temps est venu pour l'Europe de choisir son destin.

Une Europe inachevée

L'Europe est inachevée par choix. Elle a été conçue comme telle, inspirée par une vision technocratique visant à contourner les opinions publiques et les responsables politiques, qui n'étaient pas prêts à l'intégration, ni à enclencher une dynamique qui ne devait plus s'arrêter. A partir du noyau technique qu'est une monnaie unique, le reste devait suivre et conduire, immanquablement, mécaniquement, à plus d'union et d'intégration. Mais voilà, cela ne s'est pas réalisé et l'impensable s'est produit entre-temps : une crise financière sans précédent, qui a révélé les failles et les fragilités d'une monnaie unique sans intégration politique. Il est urgent aujourd'hui d'inverser le raisonnement : il faut intégrer et harmoniser le plus vite possible, c'est-à-dire réhabiliter la politique et s'imposer à la technique. Pas l'inverse.

Le précédent des Etats-Unis montre que l'on ne peut pas faire d'union monétaire sans intégration, mais aussi que le passage de l'un à l'autre peut prendre du temps… Il s'est écoulé ainsi près de cent cinquante ans entre l'union monétaire, c'est-à-dire la naissance des Etats-Unis et la création du dollar, et l'intégration économique et budgétaire. Aux Etats-Unis, comme en Europe aujourd'hui, l'union monétaire a précédé l'union économique. L'union monétaire, c'est le dollar. Il est né en 1788 avec la Constitution. Il a survécu à toutes les difficultés, y compris la guerre de Sécession, mais il aura fallu quelque cent cinquante années et de nombreuses crises pour aboutir à l'union budgétaire : crise de la dette des Etats américains au début des années 1830 – la capacité d'emprunt des Etats américains n'était alors pas encadrée, favorisant une course au financement des grands projets ou des infrastructures qui a conduit à une vague de défauts des emprunts publics émis par les Etats américains… –, crise de 1890, paniques bancaires de 1903-1907, et évidemment la grande crise des années 1930, avec, pour la première fois, la création d'une forme d'union fiscale, de fédéralisme, c'est-à-dire de transfert et de redistribution des revenus de l'Etat fédéral vers les Etats et les collectivités locales américaines.

Aujourd'hui, comme cela s'était passé aux Etats-Unis, la crise des dettes européennes fait apparaître les deux grandes faiblesses ou insuffisances de la zone euro telles qu'elles existent.

La première insuffisance, majeure, est évidemment la multiplicité des émetteurs souverains. Il y a autant d'émetteurs que d'Etats dans la zone euro. Cette multiplication des émetteurs souverains, qui permet aux investisseurs d'arbitrer et de choisir entre les pays d'une même zone monétaire pour composer leurs portefeuilles, conduit mécaniquement à la crise de liquidités. Les investisseurs peuvent du jour au lendemain décider d'arrêter de prêter à certains pays qu'ils jugent faibles, fragiles ou sur la mauvaise pente, pour ne plus prêter qu'à d'autres. Ce qui provoque une divergence des taux d'intérêt entre les pays et peut conduire à ce que l'on appelle en économie le *sudden stop* : certains Etats reçoivent moins ou plus du tout de flux financiers de l'extérieur et doivent en tout état de cause les payer beaucoup plus cher (hausse des taux d'intérêt). Arrêt des entrées de capitaux, crise de liquidités, c'est la chanson qu'on commence à bien connaître, qui conduit tout droit à la faillite.

La seconde insuffisance résulte à la fois de l'hétérogénéité de la zone, avec de plus en plus de différences entre les deux Europe, du Nord et du Sud, et des innombrables erreurs de politique économique qui ont été commises : des fiscalités défavorables au développement des entreprises, avec notamment des charges sociales trop élevées, des déficits publics structurels excessifs, une passivité face aux bulles immobilières, une progression trop rapide des coûts salariaux dans certains pays, une faiblesse de l'effort d'innovation dans d'autres...

Or, la théorie (dite des zones monétaires optimales) nous enseigne que si, dans une union monétaire, il n'y a ni fédéralisme (c'est-à-dire transfert de revenus) ni mobilité du travail (c'est-à-dire des personnes), et si les pays au sein de cette zone sont hétérogènes, alors la zone est instable et est condamnée à l'explosion. C'est un théorème très simple et... malheureusement applicable à la zone euro.

Les transferts de revenus dans la zone euro sont en effet très limités. Le budget européen de type fédéral, au sens fédéral de l'Allemagne ou des Etats-Unis, est très faible : 140 milliards d'euros, soit de l'ordre de 1 % du PIB européen seulement. Sur ces 140 milliards d'euros, il est à noter que 50 milliards servent à la « préservation et gestion des ressources naturelles » dont 40 milliards pour la seule politique agricole commune ! 30 milliards vont par ailleurs aux fonds structurels.

Mais la mobilité du travail entre les pays de la zone euro est également très faible : seules quelques dizaines de milliers de personnes passent chaque année d'un pays à un autre au sein de la zone euro. 80 000 Allemands quittent leur pays chaque année pour s'installer dans d'autres de la zone ; c'est le pays le plus mobile, 20 000 de ces Allemands allant en France et 20 000 en Autriche. En France, 45 000 personnes quittent le pays chaque année pour s'installer ailleurs dans la zone, en Italie 40 000, en Espagne 30 000... C'est peu pour une population de 330 millions d'habitants. Cette faible mobilité s'explique par les problèmes linguistiques – que les Etats-Unis ne connaissent pas –, par le manque d'harmonisation des diplômes ou encore de « portabilité » des régimes de retraite. Une personne qui a cotisé dans un pays risque de perdre une partie des points de retraite qu'elle a cumulés en s'installant dans un autre. Aux Etats-Unis, par comparaison, ce sont près de 15 % de la population qui changent chaque année d'Etat. Soit 45 millions d'habitants, contre quelques centaines de milliers dans la zone euro ! La différence de mobilité du travail est inouïe. Avec pour conséquence qu'on peut observer durablement en Europe des divergences de taux de chômage liés à des écarts de croissance et de spécialisations productives entre les pays, sans que puissent jouer les mécanismes correcteurs observés entre les Etats aux Etats-Unis.

Ni totem ni tabou

La seule réponse possible à ces insuffisances, la seule façon d'éviter l'explosion de la zone euro, c'est donc l'intégration économique et politique. C'est de s'intégrer encore et toujours plus. C'est le fédéralisme, mot dont il ne faut faire ni un totem ni un tabou, pour ne s'intéresser qu'à ses effets pratiques, avec la mise en place de mécaniques de redistribution des revenus, de partage et de solidarité, comme aux Etats-Unis et en Allemagne.

Les avantages économiques seraient multiples : plus de croissance, moins d'inégalités. Cela permettrait d'abord d'augmenter la croissance potentielle dans la zone euro, chaque pays et chaque région pouvant exploiter pleinement ses avantages comparatifs : plus grande mobilité du travail permettant de réduire le chômage structurel, allocation plus efficace de l'épargne avec la disparition chez les investisseurs du *home bias*, de la préférence nationale, pour privilégier la zone euro dans son ensemble. Réduction des inégalités ensuite entre les pays, grâce à la mise en commun d'un certain nombre de dépenses et à la mise en place de transferts de revenus – l'objectif étant de lisser les divergences de l'emploi, de la consommation et de l'activité. Des estimations montrent ainsi que le fédéralisme réduit les inégalités de richesse entre les régions et entre les pays, de 20 à 40 % aux Etats-Unis et de l'ordre de 40 à 50 % en Allemagne.

Mais cela permettrait aussi d'empêcher les crises de la dette telles que nous les connaissons et d'avoir des taux d'intérêt plus bas. S'il y avait une seule dette publique dans la zone euro, les investisseurs ne pourraient plus arbitrer entre les pays, le risque de défaut se réduirait et les taux d'intérêt baisseraient, la demande d'euros – d'actifs financiers ou de dette publique – augmenterait. L'investissement serait plus élevé parce que notre monnaie serait plus sûre et plus crédible, ce qui, là encore, stimulerait la croissance.

L'intégration à venir doit reposer sur deux mécanismes essentiels : la solidarité budgétaire et la mutualisation financière.

La solidarité budgétaire tout d'abord

Elle consiste à transférer chaque année des revenus des pays riches vers les pays pauvres, avec un triple objectif :

— faciliter le financement des pays pauvres ou des plus vulnérables,

— réduire les différences de richesse entre les pays : le revenu par habitant est de 32 000 euros dans les pays du Nord contre 26 000 dans les pays du Sud,

— réduire les écarts de croissance et de chômage.

Il suffit pour cela de s'inspirer de l'exemple allemand. Il existe en Allemagne seize Länder, soit un de moins seulement que le nombre de pays membres de la zone euro. Chaque Land dispose de quasiment autant d'autonomie que chacun des pays de la zone euro, avec des parlements élus et des gouvernements dédiés. Or, il existe autant de divergences économiques entre les Länder allemands qu'entre les pays de la zone euro : le chômage varie selon les Länder de 5 % (Bade-Wurtemberg, Bayern, Hesse) à plus de 15 % (Mecklembourg, Saxe-Anhalt) ; le revenu par habitant varie de plus de 30 000 euros par an dans les Länder riches à 22 000 environ en moyenne dans les autres ; même chose pour le poids relatif de l'industrie, qui varie de 25 à 28 % dans les Länder les plus riches à 10 % environ dans les Länder les plus pauvres. Et pourtant, la Constitution allemande pose un principe fondamental en son article 106.3, celui de l'égalité du niveau de vie entre les citoyens allemands.

Comment cette égalité est-elle assurée ? Précisément par un mécanisme annuel de partage des revenus... Le revenu fiscal par habitant est mesuré à la fin de chaque année dans chaque Land, et chaque Land doit présenter un revenu fiscal par habitant égal à 99,5 % de la moyenne des Länder. Ce qui signifie que les revenus fiscaux par habitant doivent être égaux entre les Länder, malgré leurs grandes différences de richesse. Pour atteindre cet objectif, les Länder riches versent chaque année des revenus aux Länder pauvres, ils effectuent des transferts budgétaires jusqu'à égaliser leurs revenus fiscaux par habitant. Pour ce faire, ils utilisent une partie de la TVA qu'ils collectent et qui est réservée à cette fin : 25 % des recettes de TVA collectées par les Länder sont ainsi utilisés chaque année pour cette péréquation. Et si ces 25 % ne suffisent pas parce que les disparités, par exemple, sont trop grandes, c'est l'Etat fédéral qui intervient.

C'est ce mécanisme de solidarité budgétaire qui doit être mis en œuvre en Europe. Une étude de la banque Natixis en a simulé les impacts. Le revenu fiscal moyen par habitant dans la zone euro est de 7 150 euros. Sept pays présentent des revenus fiscaux par habitant inférieurs à cette moyenne : l'Espagne, la Grèce, le Portugal, la Slovaquie, la Slovénie, Malte et Chypre. Ce sont ces pays, qui ont un revenu fiscal par habitant inférieur à la moyenne, qui deviendraient les bénéficiaires nets du système. On peut les considérer comme des Etats « pauvres » qui bénéficieraient de transferts budgétaires des Etats « riches ». Pour ramener tout le monde à la moyenne, les fameux 7 150 euros par habitant par an, les Slovaques recevraient 5 130 euros par habitant, les Maltais et les Portugais environ 3 300 euros, les Slovènes et les Grecs 3 000 euros, les Espagnols 2 100 euros, et les Chypriotes 350 euros. En raisonnant en montant global, cela signifie que l'Espagne bénéficierait de 96 milliards d'euros de transferts budgétaires en sa faveur, le Portugal recevrait 35 milliards d'euros, la Grèce 30 milliards d'euros. Cela coûterait aux Luxembourgeois, qui sont les plus riches de la zone, 13 000 euros de taxes par habitant par an, et aux Français 940 euros. Les Allemands verseraient, surprise, environ 150 euros par an par habitant, en raison de la pauvreté relative qui persiste en ex-Allemagne de l'Est. Au total, le montant des transferts pour égaliser la richesse des pays entre eux s'élèverait à 200 milliards d'euros par an, soit 2,1 % du PIB communautaire. Soit pas grand-chose.

Les inconvénients de cette solidarité et de ces transferts sont bien connus. Le principal est l'aléa moral, le comportement de « passager clandestin ». C'est-à-dire le risque que l'Etat qui bénéficie de ces transferts ne soit plus incité à maîtriser ses finances publiques ni à mener des politiques de redressement budgétaire quand cela est nécessaire. L'Etat « aidé » n'est guère encouragé à baisser les coûts salariaux quand ils apparaissent excessifs, ni à faire des efforts pour remonter en gamme sa production. Il faut donc impérativement accompagner cette mécanique de règles d'encadrement et de surveillance strictes. Mais cela n'enlève rien à la nécessité d'une solidarité budgétaire totale, à l'allemande.

La mutualisation financière, ensuite

La mutualisation financière consiste à fusionner les dettes publiques dans la zone euro. Elle repose sur l'émission d'eurobonds et conduit à ce qu'il n'y ait plus qu'un seul émetteur en Europe de dette souveraine. Il n'y aurait plus de dette publique française, allemande, italienne ou espagnole. Il y aurait une dette européenne – les eurobonds, les euro-obligations – qui se substituerait aux dettes nationales et qui serait émise et gérée par une seule entité européenne, soit la Commission européenne, soit une institution dédiée qui serait, par exemple, le produit de la fusion des Trésors des différents pays participants. L'Italie, l'Allemagne, la France n'émettraient plus d'emprunts séparément, c'est l'euro-Trésor qui les émettrait à leur place. Et qui redistribuerait ensuite les fonds empruntés entre les différents pays en fonction d'une clé de répartition. Il existerait une garantie solidaire de l'ensemble des pays qui participent au système. A l'échéance de l'émission réalisée par l'euro-Trésor, chaque pays rembourserait avec la même clé de répartition qu'à l'émission. Et si un pays ne peut pas rembourser (c'est tout le principe et l'intérêt des eurobonds), il pourrait faire appel à la garantie des autres pays qui serait alors activée, et qui prendrait en charge la partie non remboursée par le pays qui ne le peut pas.

Les avantages sont simples et déterminants : s'il n'y a plus de dette nationale, les investisseurs en dette européenne ne peuvent plus faire de distinction entre les pays européens et ne peuvent pas jouer certains pays contre les autres, puisqu'ils financent simultanément de la même façon tous les pays de la zone euro. Ils « achètent » la zone euro dans son ensemble, un émetteur de grande qualité, plus solvable que les Etats-Unis, le Royaume-Uni et le Japon. Ils ne peuvent ainsi plus discriminer, arbitrer entre les différents pays de la zone euro. Le risque de crise de liquidités est ainsi annihilé. Les Etats sont désormais protégés par le parapluie européen : il n'est plus possible de spéculer contre eux individuellement.

Le système fonctionnerait exactement comme une assurance collective. Un exemple : la dette publique des pays en difficulté d'Europe du Sud représente 20 % seulement de la dette publique totale de la zone euro. Elle serait noyée, diluée dans l'ensemble des dettes publiques européennes et les eurobonds, et ne poserait plus de problème en soi. Les eurobonds permettraient également de réduire les taux d'intérêt dans la zone euro, en permettant à tous de bénéficier de la solidarité de la région considérée dans son ensemble, ainsi que de la crédibilité économique et budgétaire des meilleurs pays de la zone.

Alors, quels sont les obstacles ? Ils sont nombreux, mais facilement surmontables dès lors qu'il y a une volonté politique.

D'abord les obstacles juridiques, avec la clause absurde du *no bail out* dans le traité de Maastricht, qui interdit non seulement le sauvetage d'un pays par un autre mais qui interdit aussi à un Etat d'en aider un autre ! Il suffit de supprimer cette clause... pour faire exister l'Europe.

Obstacles financiers ensuite, avec l'augmentation possible des taux d'intérêt et donc des coûts de financement de certains Etats – les plus forts devant payer un peu plus eux-mêmes pour protéger les plus pauvres. Le gouvernement français s'est ainsi déclaré contre les eurobonds au motif que le coût de financement de la France augmenterait. C'est un raisonnement dénué de sens : il faut sans hésiter préférer payer 0,50 % de plus de taux d'intérêt au titre des eurobonds plutôt que d'avoir à payer 5 % de plus dans l'avenir en raison d'un risque d'explosion de la zone euro... A l'image d'une prime d'assurance, il vaut mieux payer un peu tout de suite plutôt que d'avoir à subir un désastre demain.

Obstacles moraux enfin, compte tenu du risque de « passager clandestin » et de la tentation possible de certains Etats de profiter de la protection des eurobonds pour être moins vertueux financièrement que les autres et de conduire, par leur comportement, à une hausse des taux d'intérêt pour tous. Une sorte de prime à l'envers pour les cancres. Pour contrer ce risque, la création d'eurobonds comme d'ailleurs la solidarité budgétaire supposent la mise en place de règles d'encadrement strictes des politiques budgétaires et fiscales menées par les pays de la zone euro, *ex ante* et *ex post*.

Ex ante, c'est la capacité à anticiper les chocs économiques ou les difficultés financières le plus en amont possible, avant qu'il ne soit trop tard. Il faut pour cela une norme de politique budgétaire intelligente. Une norme qui donne un objectif d'équilibre des finances publiques en haut de cycle, c'est-à-dire quand tout va bien, plutôt qu'en bas de cycle, quand tout va mal, comme le prévoyait le pacte de stabilité. Limiter les déficits publics en bas de cycle ne sert en effet à rien puisque, en cas de récession généralisée – on le voit aujourd'hui –, tout le monde dérive très largement. Les déficits publics explosent les limites qui avaient été fixées. A l'inverse, fixer une norme budgétaire de haut de cycle permet de supporter, d'accepter des déficits plus importants en cas de récession. C'est ce qui assure la crédibilité budgétaire : accepter l'impact des chocs de court terme pour mieux asseoir l'équilibre à long terme.

Ex post, c'est, en cas de crise ou d'Etat qui ne respecte pas les règles, soumettre l'aide européenne à des conditions. Les pays devront accepter une intervention directe des institutions européennes dans leurs affaires économiques ou budgétaires, s'ils ne jouent pas le jeu ou s'ils connaissent un grave choc économique. Une option possible à cet égard est celle de l'instauration d'un bonus/malus sur les taux d'intérêt. L'euro-Trésor émet une obligation européenne qui verse évidemment un seul taux d'intérêt aux créanciers, mais l'euro-Trésor peut faire payer un taux intérêt différencié aux pays selon leurs disciplines budgétaires, par exemple.

En réalité, l'Europe fait déjà des eurobonds, mais ne le dit pas. Soit par hypocrisie, soit par incompréhension des dirigeants européens... Les émissions de dette du FESF, le Fonds européen, sont des eurobonds qui ne disent pas leur nom.

Le FESF est un véhicule financier européen qui émet des obligations européennes avec le soutien des différents Etats européens, chacun apportant sa garantie selon une clé de répartition. C'est le principe des eurobonds, mais avec une force de frappe faible puisque sa capacité financière est limitée à 440 milliards d'euros, et sans substitution aux dettes nationales qui coexistent. Ce que le FESF fait aujourd'hui, il faut le faire de manière systématique, avec une mutualisation totale, plus aucun Etat n'émettant de dette nationale.

La sortie de la crise passe donc par l'intégration européenne. Il n'existe aucune alternative. Tant que l'Europe n'aura pas opté pour la solidarité budgétaire et la mutualisation financière, le système restera bancal, inachevé, avec tous les risques associés de contagion et d'explosion.

Pour que cela fonctionne, il faut bien sûr doter l'Europe d'un vrai gouvernement économique, capable de surveiller, d'orienter, de corriger, de décider. Il faut aussi mettre en commun certaines fonctions ou dépenses publiques : infrastructures, éducation, recherche, etc. Est-ce que cela passe par la nomination d'un ministre des Finances européen ? Pourquoi pas ! Mais cela relèvera du gadget tant qu'il n'y aura pas d'intégration politique poussée. Un ministre des Finances, vrai contrepoids au président de la BCE, n'a de sens que s'il existe un président de l'Europe doté de pouvoirs réels et d'une autorité incontestée.

Il est urgent d'avancer dans la voie de l'intégration, pas seulement pour sortir vivants de la crise, mais aussi pour faire la démonstration au monde et à nous-mêmes que la construction européenne n'a pas été qu'une simple réaction au communisme soviétique, et à ce titre une forme d'instrumentalisation américaine. Il existe une identité européenne, l'euro en est l'une des expressions. Notre communauté de valeurs doit conduire à une communauté de destins.

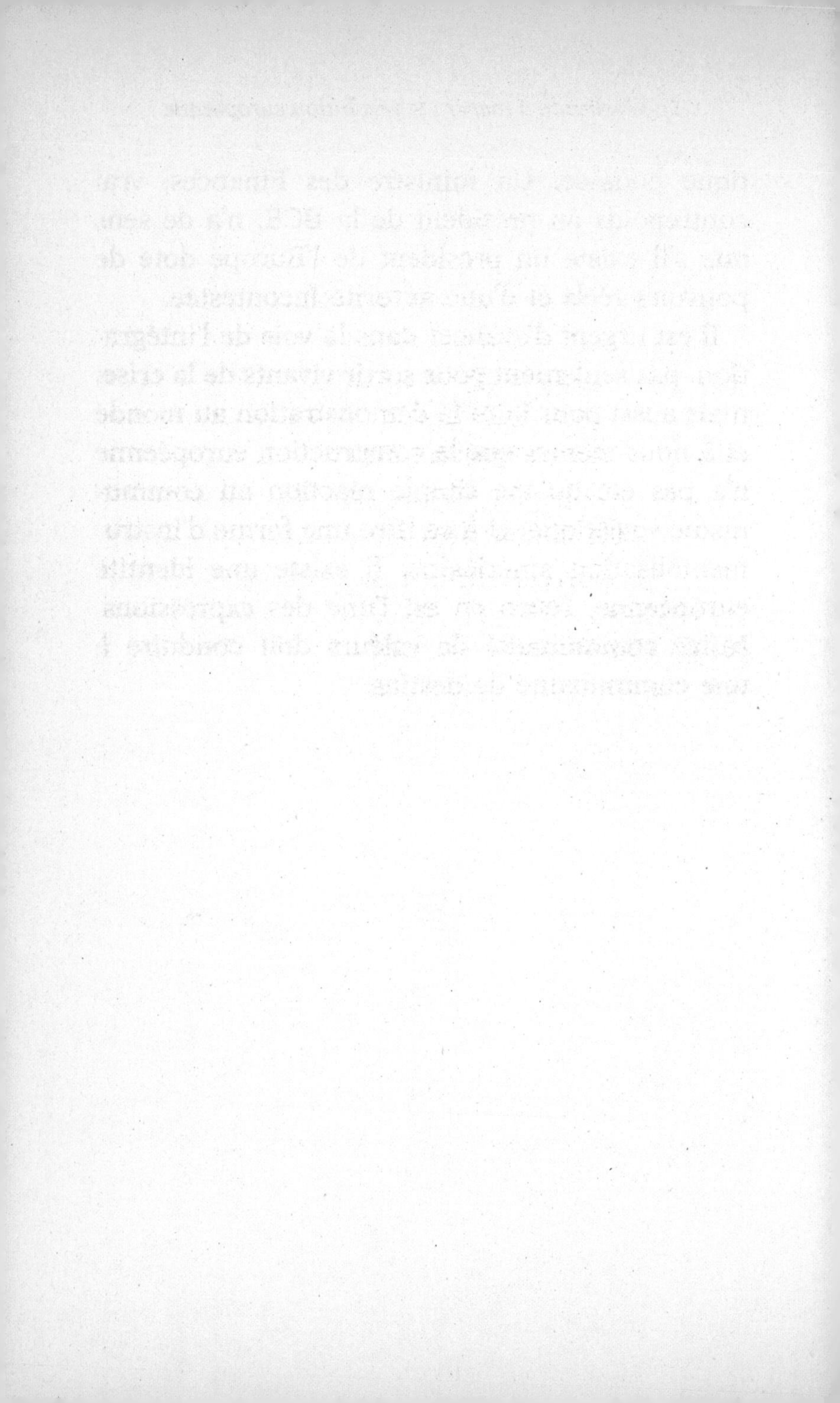

TROISIÈME PARTIE

La révolution à inventer : le renversement des valeurs

Mener la révolution de l'intégration européenne est indispensable, mais ne suffira pas. Le mal est plus profond et dépasse les simples questions institutionnelles. Pour paraphraser Freud, on peut aujourd'hui parler d'un malaise dans la civilisation européenne. L'Europe, autrefois conquérante et créatrice, est désormais en situation de renoncement.

Une autre révolution est à inventer, celle des valeurs, consistant à renverser les priorités et les hiérarchies qui sont les nôtres depuis des décennies, et qui sont à la fois la cause et la conséquence du malaise. Comme si le continent, satisfait de sa réussite et repu de ses richesses, avait décidé de ne plus progresser, de figer le temps et les choses, de vivre de ses rentes et de ses privilèges, de mépriser le changement, à l'image du bourgeois chez Balzac.

L'Europe doit se tourner vers ses jeunes, elle doit promouvoir le risque face à la rente, l'ouverture face à la fermeture, l'action face à l'inertie. Nous vivons dans un continent de vieux, dirigé par des vieux, aux politiques tournées vers les vieux, avec tout ce que cela implique de négatif à tous les égards : sur les plans économique, financier, politique, social, moral, psychologique... Les conséquences sont multiples. Nous entretenons les rentiers alors qu'il faut au contraire encourager le risque et l'innovation. Nous nous replions sur nous-mêmes, tournés vers nous-mêmes, alors qu'il faut s'ouvrir, être fiers de ce que nous sommes, construire le monde de demain. Il faut agir et cesser de subir.

Ce que l'Europe est en train de vivre s'apparente à ce que Marc Bloch décrivait dans *L'Etrange Défaite* qu'il a écrit en 1940, au lendemain de la débâcle. Nous ne sommes pas, il faut l'espérer, à la veille d'une nouvelle guerre mais certainement à la veille d'une grande rupture. Les raisons que donnait Marc Bloch de la défaite de la France sont exactement les mêmes qui expliquent aujourd'hui la défaite de l'Europe face au reste du monde. Il y en a deux : la faillite intellectuelle et la faillite administrative et politique.

La faillite intellectuelle, c'est le renoncement, l'immobilisme et le dogmatisme. Ils se manifestent dans le fait de regarder le monde avec des lunettes d'il y a vingt ans, tournés vers le passé, et dans l'idéologie à l'époque du retour à la terre. C'est aussi l'égoïsme et le repli sur soi : « C'est une bourgeoisie aigrie, repliée sur elle-même, et incapable de comprendre l'élan vers un monde plus juste », dit Marc Bloch. « Ce sont des syndicats braqués sur la défense des corporatismes, [...] des grandes écoles ou des universités où règnent les fils de notables, un enseignement voué au bachotage et qui réprime l'initiative et l'innovation. » Toutes ces expressions sont celles de Marc Bloch, mais elles décrivent aussi justement l'Europe d'aujourd'hui.

Marc Bloch met également en avant la faillite administrative et politique, qu'il résume dans une formule : « l'incapacité du commandement ». Le commandement suprême était à l'époque militaire, l'état-major des armées, il est aujourd'hui le pouvoir civil. « C'est un système usé, rouillé, incapable de se remettre en cause et de laisser la place aux jeunes. » Et une administration qui se cache « derrière un mur d'ignorance et de terreur ». Il décrit l'incapacité de la France à saisir alors le monde nouveau, marqué à l'époque par la révolution des transports qui abolit le temps et les distances. Les Allemands, observe Marc Bloch, ont mené une guerre placée sous le signe de la vitesse. « Ils croyaient à l'action et à l'imprévu là où nous étions dans l'immobilité et l'impossibilité. » Et il a cette phrase : « Nous étions devenus un pays de forts en thème et de vieilles gens, le monde appartient à ceux qui aiment le neuf. » Le péché actuel européen, c'est précisément de ne plus aimer le neuf.

L'Europe, enfin, est dépourvue de chef, au sens donné par Marc Bloch : celui qui sait serrer les dents, qui donne l'exemple, qui a le sens de la grandeur, le sens du sacrifice, le courage, le désir de faire, la vision... par opposition à ceux mus par l'intérêt personnel, l'intérêt de caste, l'amour de soi, l'utilisation de l'appareil d'Etat et du pouvoir à des fins personnelles, l'absence de vision par absence de culture, le culte de la communication donc de la gesticulation, la primauté absolue donnée à la forme par rapport au fond.

Nous sommes en train de perdre une bataille qui est celle du monde d'aujourd'hui.

Jeunes et vieux

Nous sommes confrontés à un péril vieux : être un continent de vieux dirigé par des vieux et pour des vieux. Les plus de cinquante ans dans la zone euro représentaient 23 % de la population totale en 1970, 30 % aujourd'hui, 40 % en 2030. Il ne s'agit pas de tomber dans le jeunisme ni d'opposer les uns aux autres – il y a des jeunes cons et des vieux formidables, des jeunes vieux et des vieux jeunes... La jeunesse, comme disait Henri Michaux, c'est quand on ne sait pas ce qui va arriver. Il s'agit de souligner que non seulement nous vieillissons, mais que nous sommes dirigés par des vieux, avec très peu de renouvellement et de remises en cause – comme l'illustrent par exemple l'âge et la longévité dans leurs fonctions des dirigeants français. Il s'agit de mesurer les conséquences des décisions prises, toutes ou quasiment toutes, avec ce regard et ce prisme : par des vieux et pour des vieux. Les illustrations de cette tyrannie des vieux sont, de fait, nombreuses.

Première illustration : une taxation du travail plus élevée que celle du capital, ce qui est injuste socialement et absurde économiquement. Pourquoi ? Précisément en raison de l'écart entre les générations. Les vieux détiennent le patrimoine, alors que les jeunes sont endettés. Dans un pays de vieux dirigé par des vieux, cela conduit inévitablement à surtaxer le travail et donc les jeunes. L'Europe se caractérise ainsi par une taxation du travail bien plus lourde qu'ailleurs : 27 % du PIB européen contre 17 % aux Etats-Unis, soit un écart considérable de 10 points de PIB. *A contrario*, les niveaux de taxation du capital sont très faibles en Europe. En France, ils varient de 0 % dans le cas du livret A à 30 % pour les plus-values, avec un point médian à 12 % pour les plans d'épargne logement, plans d'épargne populaire, et l'assurance-vie. Cette taxation élevée du travail a des effets négatifs à la fois sur la demande – elle réduit d'autant les revenus réels, donc la demande, la consommation et la croissance –, mais aussi sur l'offre – elle accroît d'autant le chômage potentiel.

Deuxième illustration : la flexibilité du marché du travail, concentrée sur les jeunes, considérés comme la variable d'ajustement. Les jeunes sont ainsi beaucoup plus touchés par les contrats de travail temporaire que les vieux, avec une part de l'emploi temporaire (CDD, intérim...) dans l'emploi total supérieure à 50 % en France et en Espagne. Conséquence : quand la croissance chute, le chômage frappe en premier lieu les jeunes.

Troisième illustration : l'obsession de la lutte contre l'inflation et la volonté de vouloir maintenir les taux d'intérêt réels positifs et élevés. La raison en est simple : les vieux sont des prêteurs, les jeunes sont des emprunteurs. D'où la volonté des dirigeants de maintenir des taux d'intérêt positifs, supérieurs à l'inflation, même en période de crise, au contraire des années 1960 et 1970 quand la population était beaucoup plus jeune. Cet objectif est au cœur de la doctrine de la BCE, qui agit comme l'ennemie des jeunes. Elle lutte contre l'inflation, certes, mais elle rejette aussi l'idée d'une monétisation possible de la dette publique, elle rejette toute décote ou tout abandon de valeur sur la dette. Résultat : le maintien du poids écrasant des dettes publiques en Europe, sans possibilité de le diminuer par une taxe inflationniste. Résultat : le maintien d'une pression fiscale élevée et la baisse des dépenses publiques, tout cela au détriment des jeunes. Résultat : le legs par les vieux aux jeunes générations de dettes énormes.

Dernière illustration, le débat autour du financement des retraites qui est révélateur à cet égard du conflit vieux/jeunes. Partout en Europe, les dépenses publiques de retraites vont augmenter sous le poids du vieillissement de la population. La population âgée de plus de 60 ans représente en France 40 % de la population active. Elle représentera 50 % en 2020, et 70 % en 2040... Cette proportion s'élèvera à 80 % en Allemagne en 2020 et à 90 % en 2040 ! Avec pour conséquence évidente une progression inexorable des dépenses publiques consacrées aux retraites. La question posée est celle du financement de ce surcroît de dépense, avec tout ce que cela implique en termes de transfert entre les générations.

Trois options sont possibles, aux impacts différents sur les générations.

Première option : l'augmentation de la pression fiscale. La clé est ici dans le choix de l'impôt à augmenter. Aucune décision n'est neutre. Accroître les charges sociales présente un effet négatif sur l'emploi, principalement sur les jeunes les moins qualifiés. C'est opérer un transfert de revenu au détriment des jeunes les moins qualifiés et au profit des retraités. Accroître les impôts indirects, par exemple la TVA, revient à taxer la consommation et touche surtout les individus à revenus faibles, ceux dont la propension à épargner est faible ; là encore, il s'agit d'un transfert des pauvres et des actifs non qualifiés vers les actifs qualifiés et les retraités. Seule la taxation des revenus du capital permet d'effectuer un transfert dans l'autre sens, des vieux vers les jeunes, compte tenu de la structure de détention du patrimoine. C'est cette voie qu'il faut choisir.

Deuxième option : réduire la générosité des retraites, c'est-à-dire leur montant relatif. Dans ce cas-là, le rééquilibrage se fait par une baisse du taux de remplacement du dernier salaire par les retraites. En France, le taux de remplacement brut, en pourcentage du salaire individuel moyen, est de 53 % contre 81 % en Espagne et 67 % en Italie, mais 43 % en Allemagne ou 38 % aux Etats-Unis. Réduire le taux de remplacement, c'est effectuer un transfert au détriment des retraités – principalement les retraités les plus fragiles et les plus vulnérables – au profit des jeunes et des actifs âgés qui, eux, ne travaillent pas plus longtemps.

Dernière option : le report de l'âge effectif du départ à la retraite, qui est en moyenne de 59 ans en France, 63 ans en Angleterre, 61 ans en

Allemagne, 62 ans en Espagne. Cela revient cette fois à faire un transfert des salariés âgés vers les jeunes et les retraités. Au profit des jeunes qui n'ont pas à subir de hausse de la pression fiscale, au profit des retraités parce que le montant de leur retraite est préservé, mais au détriment des salariés âgés, puisqu'ils vont travailler plus longtemps. C'est sans doute, combinée à une moindre générosité des pensions, la solution la plus juste, d'autant qu'il n'existe pas de corrélation entre le chômage des jeunes et l'âge du départ à la retraite. Il n'a jamais été démontré économiquement que le fait de repousser l'âge de départ à la retraite avait pour conséquence un chômage des jeunes plus élevé.

Mais la préférence pour les vieux dépasse de loin les seuls sujets économiques et financiers. Elle explique l'usure du modèle européen, son manque de ressort, de capacité de renouvellement et d'élan. Elle s'accompagne d'une dérive conservatrice. Il y a quinze millions d'électeurs de plus de 60 ans en France. Lors de la victoire de François Mitterrand en 1981, il y en avait neuf millions. Les seniors eux-mêmes ont vieilli puisque, entre 1990 et 2010, le nombre des plus de 75 ans a progressé de plus de deux millions. Ils votent massivement à droite et sont d'ailleurs la seule strate démographique à se positionner très majoritairement à droite. Les thèmes qu'ils placent au cœur de leurs préoccupations sont l'insécurité, l'immigration, le déficit public. Ils considèrent qu'un monde meilleur est un monde qui aurait plus de morale, là où les moins de 35 ans attendent plus de solidarité. L'exaltation des racines chrétiennes, la thématique de l'ordre, la dénonciation permanente de la délinquance sont autant de discours et d'actions politiques tout entiers orientés vers les vieux.

Les politiques conservatrices qui sont menées en conséquence maltraitent les jeunes, ne leur offrant ni horizon ni perspective. Sauf ceux du chômage, de la précarité et des bas salaires. Le principe même de ces politiques est de sacrifier la jeunesse pour protéger les vieux. Alors, comment changer les choses ?

Revenons un instant sur la dette. Au fond, la première des injustices, c'est la dette et les transferts économiques et financiers massifs entre générations qu'elle représente. Les taux d'endettement publics sont très élevés et ne pourront être stabilisés qu'à des niveaux eux-mêmes très élevés. Cela se traduit par un transfert financier très important au détriment des jeunes et au profit des vieux. Pour réduire la dette, soit on augmente la pression fiscale, le plus souvent sur les revenus du travail, soit on baisse les dépenses publiques, ce qui est défavorable à la croissance et à l'emploi. Dans les deux cas, on pénalise les jeunes. Ajoutons que les paiements d'intérêt vont essentiellement aux vieux puisque ce sont eux qui détiennent la dette et le patrimoine financier. Ce transfert intergénérationnel pose un problème d'équité évident : on vole l'avenir des jeunes. Or, comme l'a écrit Camus, la seule vraie générosité envers l'avenir consiste à tout donner au présent.

Deux axes devraient être privilégiés pour rééquilibrer le rapport jeunes/vieux.

L'inflation, tout d'abord. Accepter plus d'inflation, c'est mener une politique projeune, et la plus redistributive possible. Comme l'a dit Keynes, l'inflation, c'est « l'euthanasie des rentiers », c'est ce qui permet d'effacer la dette en réduisant sa valeur réelle. Sa valeur nominale reste constante mais, avec la hausse des prix, sa valeur réelle décroît. Prenons un exemple : un emprunt qui conduit à payer 100 euros d'intérêts par mois sur un salaire de 1 000 euros. Imaginons que dans sept ans, grâce à l'inflation et à une indexation même partielle, le salaire soit monté à 2 000 euros : le paiement des intérêts de la dette, contractée à taux fixe, est, lui, resté à 100 euros. Le poids de la dette a donc été divisé par deux. Il en va pour les Etats comme pour les ménages. L'inflation pénalise les vieux et les rentiers, et favorise les jeunes et le travail. L'inflation est bonne pour l'économie réelle. Le FMI a lui-même considéré que la sortie de crise devait passer par davantage d'inflation. Cela implique notamment une politique monétaire beaucoup plus expansionniste que celle menée actuellement par la BCE.

L'arme fiscale, ensuite. Il faut égaliser la taxation des revenus du travail et la taxation des revenus du capital. Une telle mesure, sans précédent, serait forte, juste et efficace. Comparons : le taux marginal d'impôt sur le revenu est de 40 % en France, là où la taxation du capital se situe entre zéro et 30 % avec un point médian à 12 %, soit plus de deux fois moins. Egalisons-les. Les avantages seraient multiples. D'abord, celui de donner les bonnes incitations : en réduisant l'incitation à épargner à un moment où la consommation est insuffisante. Ensuite, celui de permettre la redistribution entre les générations, en transférant une partie du patrimoine, principalement détenu par les vieux, vers les jeunes. Après des années de préférence pour les vieux et le capital, le temps est venu de la préférence pour les jeunes et le travail.

Un projet jeune ne peut pas reposer que sur l'inflation ou la taxation du capital. Il faut un discours sur la jeunesse, à la jeunesse. Il ne s'agit pas de tomber dans une guerre des générations ni de cibler un illusoire groupe de vieux. Il s'agit de casser les choix politiques qui ont conduit à laisser de côté une frange entière de la population. En octobre 2010, les collégiens et les lycéens étaient ainsi descendus très nombreux dans la rue pour manifester contre la réforme des retraites alors même que ce projet ne les concernait en rien. Mais cette mobilisation traduisait leur angoisse devant un avenir qu'ils jugent incertain et le désir de moments de solidarité qui échappent à la routine, à l'ennui et à la peur.

Il faut, dans ce cadre, faire de l'enseignement et de l'éducation une priorité absolue. Redonner sa place à l'école, ce n'est pas seulement prendre acte du fait qu'on n'a pas atteint les objectifs qui étaient les nôtres en termes de taux de réussite au baccalauréat ou prendre acte de nos performances scolaires médiocres au vu des comparaisons internationales. C'est aussi reconsidérer la formation de soi, la participation au bien commun. Il existe un écart de plus en plus grand entre ce qui est enseigné à l'école et ce qu'est, dans les faits, la culture des jeunes – eux qui passent trente heures par semaine devant un écran d'ordinateur, soit quasiment autant de temps qu'à l'école –, ou plus largement la vie réelle, qui conduit à un désintérêt croissant et au sentiment d'une école absurde et inutile.

La massification de l'éducation des quarante dernières années a été un échec ; le nombre de bacheliers stagne à 65 % depuis des années sans avoir atteint l'objectif des 80 % ; l'absentéisme augmente, de même que la violence ou le communautarisme ; le collège reste un petit lycée où chaque professeur est spécialisé et vient enseigner sa matière sans lien avec les autres enseignements et sans appréhension globale de la société ; les enseignements professionnels et technologiques sont de plus en plus déconsidérés ; les sorties de formation initiale sans qualification dépassent 10 %... Bref, rien ne va. L'école fonctionne par rejet. La France détient ainsi le record européen en matière de redoublement : 38 % des élèves en troisième ont au moins un an de retard. Il y a urgence à réinventer l'école, en individualisant les parcours scolaires, en permettant aux jeunes de construire leur propre portefeuille de connaissances et de compétences, en leur reconnaissant le droit à l'erreur. Tout le système scolaire est à repenser et reconstruire. Sans quoi, tous les efforts dans les autres domaines ne serviront strictement à rien. Il n'y a pas d'espoir de redressement économique du pays et du continent sans pari sur la jeunesse. Car la croissance de demain, c'est elle qui la fera. Personne d'autre.

Risque et rente

L'Europe est confrontée à une autre menace, nouvelle, inquiétante et pénalisante, celle de l'aversion pour le risque. On l'a vu, ce qui a fait historiquement la force du continent, c'est précisément le risque, la culture du risque, l'esprit de découverte et d'innovation. Or, l'une des grandes caractéristiques actuelles du continent, c'est au contraire la peur du risque.

Les illustrations de cette grande peur sont multiples. D'abord, l'essor de la pensée fataliste ou pessimiste, le fait de tout aborder sous l'angle du pire. L'importance donnée au fait divers, au sensationnalisme, au catastrophisme, aux événements racoleurs, nourrit le repli sur soi et la frilosité. C'est un phénomène très européen. Nous jouons avec la peur, beaucoup plus qu'avec la raison, la confiance, ou encore l'espoir. Le danger, c'est d'abandonner toute utopie, toute énergie, c'est d'être bloqué par la crainte, d'être dans le renoncement et le conservatisme plutôt que dans le mouvement.

Une Europe saisie d'effroi

En matière économique, il existe, là encore, de multiples illustrations de l'aversion pour le risque. Le niveau élevé de protection sociale, tout d'abord, qui traduit bien une préférence pour la sécurité. Cette préférence conduit à une pression fiscale forte, au détriment de l'investissement. Le coût de la protection sociale représente ainsi 18 % du PIB en Europe, contre 14 % aux Etats-Unis, 12 % au Canada, et 8 % seulement en Australie.

Autre exemple : la préférence pour l'épargne sans risque, celle qui ne finance pas la croissance, et l'aversion pour les actions, qui, elles, la financent. L'encours d'actions détenues par les ménages n'est ainsi que de 22 % du PIB en Europe, contre 55 % aux Etats-Unis et 60 % au Canada. L'épargne en Europe est détournée vers des titres qui sont – ou du moins qui étaient – sans risque, les emprunts d'Etat notamment. Et ce mouvement a été renforcé, amplifié, par les régulateurs européens eux-mêmes, à travers les réglementations bancaires dites de Bâle 3 et de Solvency 2 pour les compagnies d'assurances, qui rendent difficiles le financement à long terme des entreprises innovantes et la détention d'actifs financiers de type actions. Il n'est pas étonnant, dans ces conditions, avec un régulateur qui donne lui-même le mauvais exemple, d'observer en Europe un niveau très élevé de l'épargne de précaution des ménages : 16 % du revenu disponible, contre 5 % aux Etats-Unis, 3 % en Australie ou au Canada.

La faiblesse en Europe des entreprises innovantes s'explique par cette difficulté à trouver des financements, en raison du faible investissement en actions, de la peur des banquiers de financer le risque et de la réticence même des entrepreneurs à le prendre. D'où une durée de vie moyenne pour une entreprise plus courte en Europe qu'ailleurs, soit parce qu'elle fait faillite, soit parce qu'elle est vendue très vite. Développer une entreprise dans la durée en Europe est rare parce que difficile. De fait, l'Europe se montre incapable de faire naître et croître des entreprises dans des secteurs innovants. Aux Etats-Unis, sur les 30 plus grosses capitalisations boursières, 10 relèvent des nouvelles technologies et des secteurs innovants... et toutes ont moins de trente ans d'existence : Apple, Microsoft, Google, Cisco, Oracle, Intel, Hewlett Packard... En Europe, sur les 30 plus grosses capitalisations boursières, il n'y en a que 2 – et encore ! – qui peuvent prétendre appartenir à ce secteur : Orange et Deutsche Telekom.

Dernière illustration de l'aversion pour le risque : la très faible mobilité sur le marché du travail, avec très peu de mouvement des salariés des secteurs en déclin vers les secteurs en croissance, très peu de mouvement des secteurs les moins productifs vers les secteurs les plus productifs. La règle est celle du maintien dans l'emploi présent ou dans le dernier emploi. Ce qui se reflète dans la durée moyenne du chômage : 12 mois en Europe, contre près de 2 mois en Australie, 4 mois au Canada, ou moins de 6 mois aux Etats-Unis. Pourquoi ? Parce qu'il y a dans ces pays une mobilité beaucoup plus forte et une moindre appréhension envers la nouveauté.

Mais l'expression la plus éloquente et la plus emblématique de l'aversion pour le risque en Europe est le principe de précaution. « Principe de précaution », tout est dit... S'il a bien été défini en droit international par la Déclaration de Rio de juin 1992 sur la protection de l'environnement, nulle part ailleurs dans le monde, sauf en Europe, il n'est devenu un principe général du droit. Nulle part ailleurs dans le monde il n'a atteint une intensité et un caractère aussi contraignant qu'en Europe. Le principe de précaution ne relève pas de l'action curative, il ne vise pas à réparer les conséquences d'un dommage qui s'est produit. Il ne relève pas non plus de l'action préventive, il ne vise pas à limiter les conséquences d'un dommage dont on sait qu'il peut se produire ou qu'il va se produire. Pas du tout ! Il consiste à prendre des mesures de précaution, c'est-à-dire à interdire, limiter, empêcher, même si le risque n'est pas avéré, même si l'on n'est pas certain qu'il y ait même un risque. C'est le symbole même de l'aversion pour le risque. On n'est pas sûr que le risque existe, mais on va quand même le prévenir...

La Cour de justice des communautés européennes l'a ainsi défini en 1998 : « Un Etat doit prendre les mesures de précaution sans avoir à attendre que la réalité ou la gravité de risque soit démontrée »... Il n'est donc même pas nécessaire de démontrer la réalité d'un risque pour s'en protéger. Ce principe est désormais appliqué de manière de plus en plus large : protection de l'environnement, santé, additifs alimentaires, chimie, etc. Il ne reflète rien d'autre qu'une peur du lendemain, une angoisse terrible, presque insondable, une perte de repères et de foi dans l'avenir et le progrès.

Cette angoisse se retrouve partout, dans tous les domaines. Dans le fonctionnement même de la démocratie, avec la montée des intentions de vote en faveur des extrêmes, le pessimisme affiché du corps électoral sur la capacité à changer les choses, la perte de la croyance dans la justice, l'équité sociale, la force de régulation de l'Etat... On la retrouve dans le fonctionnement de la société elle-même, dans une forme de dépression du corps social – on pourrait évoquer le taux de consommation des antidépresseurs, des psychotiques ou des tentatives de suicide –, ou dans l'incapacité à s'organiser autour de valeurs solidaires, humanistes, progressistes.

Dire oui au risque, non à la rente

L'urgence absolue est de réinventer demain, de se réapproprier l'avenir, de rétablir l'utopie.

Cette opposition risque/rente, chère à Dominique Strauss-Kahn et aux sociaux-démocrates, est d'autant plus fondamentale qu'elle constitue un des grands marqueurs politiques d'aujourd'hui. C'est essentiellement sur elle que repose la différence entre droite et gauche. Car derrière les notions de risque et de rente, il y a celles d'égalité et d'inégalité. Le risque est le meilleur moyen de lutter contre les inégalités, de redistribuer les cartes, de permettre à chacun de pouvoir corriger, d'ajuster sa vie, de donner sa chance à chacun. La rente, c'est-à-dire l'aversion pour le risque, c'est au contraire le conservatisme, l'immobilisme, la volonté de ne pas changer ou de ne pas bouger les situations acquises, établies, de ne pas toucher aux privilèges. Le risque est mouvement, la rente est ordre.

Pourquoi faut-il favoriser le risque et pénaliser la rente ? Précisément pour lutter contre les inégalités. La droite considère l'inégalité comme un phénomène naturel : on naît petit, gros, moche, bête... c'est ainsi ! C'est la faute à pas de chance et c'est comme ça ! Tout s'explique et se justifie par ces inégalités naturelles. La gauche considère à l'inverse que les inégalités sont un phénomène social, qu'elles résultent de l'environnement familial, géographique, professionnel, social... Et donc que le premier combat consiste à dénaturaliser les inégalités et, pour ce faire, à lutter partout et toujours contre tous les phénomènes de rente. A donner sa chance à chacun. Ce qui doit s'opérer par l'encouragement au risque et par la redistribution des chances. Etre de gauche aujourd'hui, c'est précisément donner à chacun la possibilité d'agir sur sa vie. Corriger les inégalités et offrir la liberté. Voilà le dessein politique d'aujourd'hui. Assurer l'égal accès à l'éducation, l'égal accès à la formation professionnelle, au système de soins, à la sécurité (il n'y a pas de raison d'être plus en sécurité à Neuilly qu'à Sarcelles, à Versailles qu'à Saint-Denis), pour donner à tous la même chance et la même capacité à agir sur sa vie.

Il faut se méfier des discours trompeurs selon lesquels, par exemple, la droite serait plus favorable que la gauche à l'esprit d'initiative et à la liberté d'entreprendre. Au contraire, la droite est par nature conservatrice parce que, par nature, elle encourage les phénomènes de rente. L'exemple le plus pur en a été fourni par la suppression des droits de succession en 2007. Voilà la mesure la plus injuste socialement, et probablement la plus inefficace économiquement, que l'on puisse prendre. Gagner de l'argent est une chose : favoriser le risque, c'est aussi accepter par définition qu'il soit récompensé, c'est accepter pour ceux qui en prennent des niveaux de rémunération importants ou une constitution de capital élevé. C'est aussi un moteur de croissance.

Mais encourager la rente, la transmission du patrimoine et la reconduction des inégalités, non. On peut d'ailleurs résumer simplement le système fiscal français tel qu'il est pensé depuis 2007 : quand on meurt, on – les héritiers – est taxé à 0 %, quand on dort – c'est-à-dire quand on place du capital –, on est taxé en moyenne à 12 %, quand on achète des vêtements, on est taxé à 19,6 %, et quand on travaille, à 40 %... C'est absurde et injuste. Non seulement le risque n'est pas récompensé, mais il est pénalisé. Plus on travaille, moins on gagne... Que l'on ne vienne pas dire que le risque est une valeur de droite. Il faut faire l'exact contraire : (beaucoup) moins taxer le travail, (beaucoup) plus taxer le capital, *a fortiori* quand il est mal employé, quand il dort dans des placements non productifs et non risqués qui ne favorisent pas la croissance.

L'Europe doit renouer avec le risque, qui s'accompagne d'une remise en cause permanente des situations acquises et des privilèges. Elle doit faire en sorte que tout soit possible, pour tous, et à tout moment. Lutter contre les conservatismes, c'est faire exploser les règles, renverser les icônes, chasser les mandarins et les petits messieurs pleins d'eux-mêmes et de leurs certitudes, mettre fin aux coteries, aux corporatismes, qui bloquent la pensée et l'initiative.

L'Europe doit aussi renouer avec l'innovation. Elle n'a pas d'autre choix. Dans une économie mondiale très intégrée, où tout circule librement, les capitaux comme les connaissances, les pays ne sont désormais plus protégés par aucune frontière ou aucun monopole. Ils n'ont que deux armes à leur disposition : la qualité et l'innovation.

La qualité réside dans celle des infrastructures et des services publics d'un pays ainsi que dans la maîtrise des processus de production complexes ou sophistiqués, que l'on développe par un niveau élevé de formation et d'éducation, par le professionnalisme des entreprises, des sous-traitants, la densité des laboratoires... L'innovation, c'est la capacité à inventer les biens et les services de demain. C'est à la fois un moteur de croissance et une source de création de richesse. Or, l'Europe a inventé depuis trente ans très peu des biens et des services qui ont changé notre façon de vivre ou notre façon de travailler. Elle n'a inventé ni l'iPhone ni Internet. Sa capacité à innover est devenue très faible.

Nous l'avons dit et redit : cela tient au fait que les Européens ont perdu l'habitude, le goût et la culture de prendre des risques. L'innovation est, par essence, quelque chose de risqué. En matière industrielle, elle suppose de prendre le risque de fabriquer un produit qui ne se vendra pas. Pour un produit qui réussit et devient un standard, combien d'échecs ? Ceux qui s'y aventurent sont souvent frappés par le syndrome de l'échec. Soit frappés *ex ante* – la peur de l'échec empêche la prise de risques –, soit frappés *ex post* – la sanction sociale et financière en cas d'échec du projet. D'où la nécessité, en contrepartie du risque, d'une espérance de revenu élevé et d'un minimum de protection. Minimum de protection et espérance de revenu élevé pour le chercheur qui va quitter le confort de son laboratoire, pour le financier qui peut perdre le capital qu'il apporte, ou pour le salarié qui peut perdre son emploi si l'entreprise dans laquelle il est, et qui a cherché à innover, fait faillite.

L'Europe doit mettre en place un contrat collectif sur le risque, une sorte de mutualisation qui combine à la fois l'incitation à la prise de risques (encouragement à la création d'entreprises, capital-risque) et la régulation des bénéfices du risque, par le biais de la fiscalité. Dit autrement, il faut que ceux qui innovent, ceux qui prennent des risques soient en partie protégés des conséquences d'un échec.

Le paradoxe européen est d'avoir des performances scientifiques excellentes, mais des performances technologiques, industrielles et commerciales moyennes. Cela tient à une incapacité à transformer les résultats de la recherche en innovation, par aversion pour le risque. Schumpeter a bien montré que l'innovation et le risque sont les ressorts de la croissance, avec sa fameuse « destruction créatrice », la création de nouveaux produits et de nouvelles entreprises se substituant progressivement aux anciens. Schumpeter disait aussi que, l'innovation étant risquée, il fallait permettre aux entrepreneurs de faire fortune et les empêcher de se transformer en rentiers. C'est aussi, d'une certaine façon, la phrase de Marx : « Le capitalisme est par essence révolutionnaire. » La révolution, c'est celle-ci : donner des espérances de revenu élevé à ceux qui prennent des risques et frapper la rente partout où elle se trouve.

Ouverture et fermeture

Il existe aujourd'hui en Europe et en France une tentation de repli sur soi, de fermeture des frontières et des esprits, de démondialisation.

Le clivage ouverture/fermeture, entre « ouverts » et « fermés », vient désormais s'ajouter au clivage traditionnel droite/gauche. Il divise l'opinion sur des questions transversales et détermine la vision du monde et de la société que l'on peut avoir. Les « ouverts » sont favorables à la mondialisation et ne considèrent pas l'immigration comme un problème, les « fermés » pensent l'inverse. Une étude de la Fondation Jean-Jaurès, intitulée « Le nouveau paysage idéologique », s'est intéressée à cette question.

La première conclusion de cette étude est que ce clivage est bien une réalité, qui s'observe par exemple dans la volonté de changement : les « fermés » sont très largement « réactionnaires » et s'assument comme tels ; les « ouverts » sont très largement « réformistes ». Même chose vis-à-vis de l'Union européenne : contrairement aux « ouverts », les « fermés » considèrent très majoritairement qu'elle aggrave les effets de la mondialisation.

Deuxième conclusion : ce clivage se superpose bien au clivage gauche/droite. Les mots les plus importants pour les « fermés » sont ordre et nation, là où ils sont tolérance et solidarité pour les « ouverts ». Les « fermés » considèrent qu'il y a un excès de solidarité et rejettent massivement ce qu'ils appellent l'assistanat. De fait, les « fermés » s'autopositionnent largement à droite, à 51 %, contre 17 % à gauche, là où les « ouverts » s'autopositionnent clairement plus à gauche qu'à droite...

La dernière conclusion est que ce clivage est de nature beaucoup moins sociologique qu'on ne l'imagine. L'idée reçue est que, pour caricaturer, les « bobos » seraient ouverts et les « prolos » seraient fermés. La réalité est différente. Le clivage ouverture/fermeture passe au milieu de chaque classe sociale.

La peur de l'autre

Cette tentation du repli sur soi s'explique d'abord et avant tout évidemment par la crise. L'arrêt de l'endettement comme moyen de doper nos économies a fait apparaître clairement les coûts de la mondialisation. A commencer par les pertes de parts de marché dans le commerce mondial. La part des exportations européennes dans les exportations mondiales est passée de 18 % en 1999 à 14 % en 2009. Inversement, les importations depuis les pays émergents ont triplé sur la même période... La conséquence de ces pertes de parts de marché est double. Ce sont évidemment des pertes de production et d'emploi, renforcées par des transferts de capacité de production de l'Europe vers les pays émergents. C'est aussi une concentration du marché du travail en Europe aux deux extrêmes, qui conduit à une montée des inégalités : d'un côté, des emplois très sophistiqués, dans la finance, l'informatique, les services aux entreprises ; de l'autre, au contraire, des emplois très peu sophistiqués dans les services domestiques.

A la crise s'ajoutent de nombreux facteurs qui expliquent le repli sur soi : le complexe né du passé d'une grande puissance aujourd'hui contestée, la peur d'être condamné à jouer perdant dans un jeu dont les règles nous échappent, la crainte d'une baisse des solidarités qui s'organisaient autour de la croissance, l'angoisse qu'avec l'emprise des marchés les gouvernements soient privés d'instruments d'action...

Cette tentation du repli conduit à la fermeture des frontières comme des esprits. Citons deux illustrations récentes en France.

La première, c'est la réduction de moitié, à l'été 2011, de la liste des métiers ouverts aux étrangers non européens. Il s'agit de la liste des métiers dits « en tension », pour lesquels l'Administration ne peut s'opposer à l'entrée d'étrangers. De 30 métiers « ouverts », la liste a été réduite à 14, parmi lesquels l'audit et le contrôle comptable, la conception et les dessins de produits mécaniques, etc. Ont été en revanche exclus des métiers comme agent d'assurances, installateur d'ascenseur, géomètre, les restrictions les plus importantes concernant les secteurs de l'informatique et du BTP.

L'autre illustration concerne les étudiants étrangers qui, depuis une circulaire du printemps 2011, ne peuvent prétendre occuper un emploi en France que s'il est avéré, par les préfets, qu'aucun salarié français n'est susceptible d'occuper cet emploi. Nous parlons bien des étudiants étrangers diplômés d'une université ou d'une grande école française, c'est-à-dire venus en France pour apprendre. De très nombreux diplômés étrangers issus des plus grandes écoles françaises, Polytechnique, HEC, ESSEC... et que des grandes entreprises souhaitaient embaucher, se voient désormais refuser un permis de séjour. Situation aberrante dans le monde qui est le nôtre, celui de l'économie de la connaissance, de la créativité et du talent. Et qui crée une forme de dépit amoureux chez les jeunes à travers le monde.

Ce type de fermeture n'est pas nouveau et est même classique en temps de crise. Le fautif, c'est toujours l'autre, l'étranger. Souvenons-nous que Barrès avait publié en 1893 un livre qui s'appelait *Contre les étrangers. Etude pour la protection des ouvriers français*. Nous revivons la même chose aujourd'hui. Avec des conséquences, à terme, dramatiques pour l'économie française. L'immigration est un facteur de croissance par l'augmentation de la population. Elle est aussi un facteur de diversité et de richesse, une force de changement et de créativité portée par l'énergie de ceux qui veulent changer leur vie. Elle devrait enfin être un élément de fierté par notre capacité à attirer ou à séduire. Quand les esprits se ferment, l'économie régresse.

Mais l'exemple le plus pur de fermeture économique reste celui des frontières et le protectionnisme, qui s'expliquent par le fait que la montée du chômage et la chute de la croissance sont attribuées à la globalisation et au développement des échanges avec les pays émergents.

Pas un, mais des protectionnismes

Il y a de très nombreuses formes de protectionnisme. La forme la plus classique est la protection des marchés nationaux par les barrières douanières, c'est-à-dire des tarifs qu'on impose sur les produits étrangers, qu'on peut augmenter plus ou moins selon le moment. La forme la plus dure est l'obligation d'acheter des produis nationaux. Exemple : le Buy American Act, entré en vigueur en 1933 et revigoré en 2009 sous le nom de Buy American Provision. Il s'applique à tous les marchés de l'administration fédérale américaine et prévoit que les marchandises achetées pour l'usage public – matériaux, fournitures... – soient fabriquées aux Etats-Unis. Nous sommes au-delà de la simple barrière douanière, dans une situation où un Etat rend obligatoire la consommation de produits nationaux. Protectionnisme rime ici avec autoritarisme.

Bien d'autres formes de protectionnisme, plus diffuses, existent. L'arme de change, tout d'abord, qui consiste à laisser le cours de sa monnaie baisser par rapport aux autres devises de façon à accroître la compétitivité de ses exportations. A remplacer ainsi une demande intérieure défaillante par une demande extérieure pour des produits devenus moins chers à l'étranger compte tenu de l'évolution du change. C'est ce que l'on observe partout dans le monde depuis 2008 : une véritable guerre monétaire menée par un certain nombre de pays pour relancer leur économie. La Grande-Bretagne a ainsi laissé filer la livre face au dollar ou à l'euro. Les Etats-Unis plaident publiquement pour un dollar fort, mais agissent dans les faits pour qu'il soit le plus faible possible. Les Chinois font la même chose, en accumulant des réserves en dollars, par exemple, pour essayer d'apprécier le dollar face à leur monnaie. L'Europe est, elle, totalement absente de cette guerre. Ou plutôt elle en est la victime consentante. Personne en Europe n'est en effet responsable de la politique de change : ni la BCE, qui a pour seul objectif statutaire la lutte contre l'inflation, ni le Conseil européen, ni la Commission… L'euro fluctue en fonction de ce que décident les autres, Chinois et Américains, non pas pour nous, mais contre nous.

Autres formes de protectionnisme : les plans de relance sectoriels qui se font sous condition de maintien de l'activité dans le pays – on l'a vu dernièrement en France avec un plan d'aide à l'automobile – et qui créent une distorsion de concurrence en Europe, ou l'arme fiscale, redevenue récemment d'actualité en France avec le projet de TVA sociale. Réduire la taxation du travail, en baissant les charges sociales, et compenser cette baisse par une augmentation de la taxation sur la consommation, avec une hausse de la TVA, est très exactement l'équivalent d'une dévaluation : on taxe par la TVA les produits importés, et on détaxe les produits exportés en réduisant les charges sociales. C'est typiquement une mesure protectionniste.

Ne pas céder à la tentation

Si les causes et les manifestations de la tentation protectionniste sont bien identifiées, ne nous y trompons pas : comme l'a dit Pascal Lamy, le directeur général de l'OMC, « la démondialisation est un concept réactionnaire ». Défendre le protectionnisme, vouloir la démondialisation, c'est ne pas comprendre ce qu'est le monde d'aujourd'hui. C'est souhaiter un retour en arrière qui est à la fois impossible et dangereux.

D'abord,. c'est se tromper de combat. Ce n'est pas la mondialisation qui est responsable de la crise, c'est avant tout nous-mêmes. La cause, nous l'avons vu, est la panne de notre modèle de croissance depuis vingt ans et l'excès d'endettement accumulé pour essayer de la réparer. La mondialisation n'y est pour rien.

Ensuite, c'est avoir une vision du monde dépassée. Nous vivons dans un monde qui est fluide, ouvert, dont les symboles sont Internet et les porte-containers, dont les vecteurs sont les bateaux, les routes, les trains, les avions, etc. La mondialisation est en marche, et rien ne l'arrêtera.

C'est, enfin, avoir une vision du monde erronée. Les économies sont intégrées. Les frontières traditionnelles entre commerce international et commerce national se sont effacées, les chaînes de production se sont globalisées pour gagner en efficacité. Une entreprise française peut fabriquer les divers éléments de son produit final dans un ou plusieurs pays et les assembler dans un autre. Le concept même de nationalité d'un produit disparaît. Cela signifie que freiner nos importations revient en réalité à pénaliser nos propres exportations.

La conclusion est que le protectionnisme est à la fois inefficace et dangereux. D'abord parce qu'il nous expose à des mesures de rétorsion de nos partenaires, qui compromettraient notre propre capacité à exporter et donc notre croissance. Ensuite parce que, pour qu'il fonctionne, il faudrait que la production nationale puisse être substituée aux importations. Dans ce cas-là, on pourrait en théorie fermer les frontières, réduire les importations, et décider de consommer français, par exemple, plutôt que de consommer étranger. La seule difficulté, majeure, est que le plus souvent la production nationale n'est pas ou plus substituable aux importations. C'est donc totalement inefficace.

Un cas pratique : la Chine

Pour illustrer le propos, que se passerait-il si l'Europe se protégeait contre les produits chinois, comme beaucoup le préconisent ? On connaît les raisons qui pourraient pousser à cela : la forte hausse de la part de marché de la Chine dans le commerce mondial qui est passée de moins de 5 % en 1999 à 15 % aujourd'hui, et ce grâce à la sous-évaluation de la monnaie chinoise et aux coûts salariaux très bas. On connaît aussi les conditions théoriques d'efficacité d'une telle politique protectionniste : la capacité à remplacer les importations par des produits domestiques et l'absence ou la faiblesse des mesures de rétorsion.

Alors, qu'en est-il ? Notre production nationale peut-elle être substituée à la production chinoise ? La réponse est non, compte tenu de nos spécialisations industrielles respectives et du caractère irréversible ou difficilement réversible des délocalisations. Cela est illustré par ce que l'on appelle « l'élasticité prix » du commerce entre la Chine et l'Europe, qui est très faible. En clair, même quand le prix des produits chinois monte, les importations européennes ne baissent pas. Cela reflète notre incapacité à substituer de la production nationale, qui devrait alors être achetée parce que devenue relativement moins chère. Augmenter les droits de douane sur les produits chinois a pour seul effet d'accroître leurs prix et donc de réduire notre pouvoir d'achat. Ajoutons que la moitié des exportations de la Chine n'est pas le fait d'entreprises chinoises, mais d'entreprises étrangères, essentiellement occidentales, installées en Chine. Se protéger contre ses importations, c'est donc pénaliser en plus nos entreprises.

Cela est illustré par le contenu en importations des exportations de la Chine, qui est très élevé. La Chine est surtout un centre d'assemblage des productions étrangères. Elle fait venir du monde entier, et principalement d'Asie, les composants qu'elle assemble. Dans le secteur informatique, le contenu en importations des exportations chinoises est ainsi de 95 %, il est de 85 % dans le secteur des télécoms, de 64 % pour les télévisions... Se protéger contre les produits chinois revient à se protéger contre les productions du monde entier.

Considérons maintenant les mesures de rétorsion. Certes, les exportations de l'Europe vers la Chine sont trois fois inférieures aux importations chinoises en Europe. Mais la Chine devenant un grand marché, nos exportations vers ce pays croissent désormais près de trois fois plus vite que les exportations de la Chine vers l'Europe... La fermeture des frontières nous pénaliserait de manière évidente. Pire, la Chine pourrait, elle, substituer ses productions nationales à nos exportations. En témoigne la montée en gamme très rapide de ses exportations. Rappelons d'abord le niveau de gamme des exportations françaises : 22 % sont du haut de gamme, 61 % du milieu de gamme et 17 % du bas de gamme. Le haut de gamme représente tout ce qui est matériel informatique, aéronautique et espace, télécommunication... ; le milieu de gamme, ce sont les voitures, les appareils électriques, les machines, la production chimique... ; le bas de gamme, ce sont le papier, le carton, le textile, l'habillement, le tabac, le bois, les boissons... En Chine, aujourd'hui, le haut de gamme représente 32 % (contre 22 % en 1999), le milieu de gamme 48 % et le bas de gamme 20 % (contre 35 % en 1999). Autrement dit, les exportations chinoises sont actuellement plus haut de gamme que les exportations françaises...

Le protectionnisme est d'autant plus injustifié que la mondialisation change de nature. Nous sommes en train de quitter une mondialisation qui appauvrissait les pays occidentaux pour une mondialisation qui les enrichit. Jusqu'en 2010, du fait de coûts salariaux très faibles, les parts de marché des pays émergents dans le commerce mondial se sont fortement accrues. L'impact positif pour nous a été de faire baisser l'inflation, grâce à l'importation de produits peu chers. L'aspect négatif, bien sûr, pour nous, a été des pertes de parts de marché, de production et d'emploi.

Nous sommes désormais entrés dans une seconde phase de la mondialisation, marquée par une hausse des coûts salariaux dans les pays émergents, soit en raison de tensions sur leur marché du travail, soit en raison de hausses de salaires destinées à soutenir la demande intérieure. En Chine, le coût salarial moyen est ainsi passé de 40 % du coût moyen en Europe en 2002 à 55 % aujourd'hui. Elle a perdu 15 points par rapport à nous en à peine dix ans, et ce mouvement va se poursuivre. L'avantage pour nous est une hausse de l'inflation dans les pays émergents, donc une hausse des coûts de production et du prix des produits qui y sont fabriqués – cela annonce sans doute la fin des délocalisations. L'autre point positif est l'apparition de marchés de grande taille dans ces pays en croissance rapide, qui sont autant de débouchés pour nos exportations, pour peu que notre appareil de production puisse en satisfaire la demande.

Sans aller jusqu'à dire, comme Keynes, que « le protectionnisme, c'est la guerre », il faut comprendre qu'il est un vecteur de régression, aux conséquences dangereuses, avec en toile de fond un discours sur la décroissance tout aussi dangereux. Le développement économique et la croissance sont une exigence impérieuse. Quand, sur la planète, plus d'un milliard de personnes vivent avec moins de 1 dollar par jour, quand près de trois milliards vivent avec moins de 2 dollars par jour, et ne peuvent donc décemment pas se nourrir, se loger, se vêtir, se laver, se soigner, s'instruire, la décroissance relève de l'indécence. Comme cela a été justement écrit dans un éditorial du journal *Le Monde*, « la décroissance est une lubie de gosse de riche parfaitement égoïste ». L'Inde ou la Chine se sont lancées dans la course à la croissance pour sortir – et elles y ont réussi – des centaines de millions de personnes, hommes et femmes, de la misère. La croissance est nécessaire pour améliorer la situation du marché du travail, plus largement pour augmenter le niveau de vie des populations, et en particulier des plus pauvres. La croissance est à la fois une exigence économique et un impératif moral.

Bien sûr, il ne s'agit pas de passer d'un extrême à l'autre ni de tomber dans l'angélisme d'une mondialisation forcément heureuse. Il s'agit de mesurer les conséquences de choix protectionnistes et de rappeler les bénéfices d'un monde ouvert, du développement des échanges et de la diffusion des savoirs et des technologies.

Pour une nouvelle régulation

La mondialisation doit être pour l'Europe et pour la France l'occasion d'affirmer leur spécificité. De refuser le repli bougon sur soi-même et de rester fidèle à la tradition qui est la leur de proposer, d'inventer et de construire. La France et l'Europe ont été depuis des siècles des grands acteurs de la mondialisation des idées et des principes de liberté et de justice. Elles doivent le rester et continuer à peser sur l'organisation économique et politique du monde. Le problème n'est pas la mondialisation, mais l'absence de régulation de la mondialisation. Comme pour les marchés laissés à eux-mêmes : quand ils s'autorégulent, ils ne s'autodisciplinent pas mais ils s'autodétruisent. Il en va de même pour la mondialisation.

Comment agir ? D'abord en définissant de nouvelles régulations des échanges et de la mondialisation. Ce que les économistes ont appelé la *shallow integration*, l'intégration de surface, c'est-à-dire le démantèlement des protectionnismes de base, des barrières douanières, est à peu près achevé. Le débat doit désormais porter sur les modalités de ce qu'on appelle la *deep integration*, c'est-à-dire l'intégration profonde. Formulé encore autrement, agir pour égaliser les conditions de la concurrence, les droits et les devoirs des Etats et des entreprises, la place des citoyens dans le processus de mondialisation. Sur tout ce qui concerne le travail des enfants, la sécurité, l'environnement, l'épuisement des ressources naturelles, les rejets de CO_2...

Il ne faut pas se montrer naïfs et ne pas accepter en Europe ce qui n'est pas possible ailleurs. Le principe doit être celui de la réciprocité. Il existe en Chine une liste de trente-neuf secteurs protégés, où l'investissement étranger est purement et simplement interdit. Cela va de la production de thé traditionnelle à la fabrication des médicaments de médecine chinoise, en passant par l'artisanat traditionnel... mais cela comprend aussi les industries de défense, les secteurs culturels, les services postaux... Dans tous ces domaines, rien ne justifie une fermeture. De la même façon qu'en Inde il est impossible pour une entreprise étrangère de prendre le contrôle d'une banque ou d'une entreprise de télécoms. Le jeu doit désormais être égal.

Ensuite, en faisant de la régulation financière une réalité. Rien n'a vraiment changé depuis le début de la crise en 2008, contrairement aux déclarations d'autosatisfaction des dirigeants mondiaux à l'occasion de chaque G20. Les paradis fiscaux ne sont pas interdits. Aucune surveillance efficace des fonds spéculatifs – même ceux qui sont systémiques, c'est-à-dire susceptibles d'emporter le système financier tout entier – n'a été mise en place. Aucune institution globale n'a été chargée de superviser l'ensemble du système financier mondial. Or, dans un marché global, la régulation ne peut qu'être globale pour être efficace. La vraie régulation consistera à ce qu'aucun territoire, aucune institution, aucun produit financier n'y échappe.

Enfin, en abordant deux sujets majeurs et pourtant non traités. A commencer par l'hypertrophie de la sphère financière : aucune attention n'a été portée à l'écart incroyable qui s'est instauré entre la sphère financière, avec ses montants colossaux de transactions sur les marchés, et l'économie des biens et services. Ne pas voir que ce déséquilibre alimente la spéculation, et s'y résigner, est dramatique. On en a une illustration parfaite sur les marchés alimentaires qui voient des transactions financières très importantes se réaliser, parfois dix fois supérieures aux montants ou aux quantités physiques réelles échangées : sucre, café, cacao... déséquilibrant à la fois pays producteurs et pays consommateurs.

L'autre sujet concerne le désordre économique mondial. Depuis 1971 et la fin de la convertibilité du dollar en or, les Etats-Unis n'ont plus d'obligation internationale sur leur devise : ils ont le privilège d'émettre librement une monnaie, le dollar, qui est jusqu'à présent la principale monnaie internationale de réserve et d'échange. Ils en usent et abusent, menant une politique monétaire très expansionniste, à l'origine de leur excès d'endettement et de la crise, et visant à soutenir leur économie. Cette politique a des effets négatifs sur le reste du monde : baisse du dollar, excès de monnaie injectée dans l'économie mondiale qui explique la formation de bulles spéculatives sur certains actifs... Le résultat est un désordre monétaire mondial, chaque pays livrant sa propre guerre pour défendre ses intérêts. Ce désordre monétaire mondial et l'absence de coordination internationale des politiques monétaires sont probablement un des premiers facteurs de crise qui devrait être corrigé. Sur ce chantier prioritaire, la nécessaire discipline budgétaire américaine et la volatilité des taux de change, de nouveau le G20 n'agit pas...

Agir ou subir

Nous n'avons plus le choix. Nous sommes confrontés aux risques économiques d'une cassure définitive de notre modèle de croissance, à des risques sociaux majeurs, aux risques politiques de montée des extrêmes... Il faut agir et cesser de subir.

Economiquement, nous risquons de connaître un scénario à la japonaise. Des décennies de forte croissance – derrière nous – suivies d'une crise soudaine et profonde, dont on ne se relève pas, et qui conduit à des décennies – devant nous – de stagnation au niveau le plus bas auquel on est tombé. C'est très exactement ce que connaît le Japon depuis vingt ans : une très forte croissance jusqu'à la fin des années 1980, avec la formation de bulles spéculatives boursière et immobilière, favorisée par un excès massif d'endettement ; puis une explosion de ces bulles spéculatives en 1991, des pertes patrimoniales massives, un désendettement continu avec le cercle vicieux de la baisse de la consommation des ménages et du recul des salaires, une récession. Triste perspective.

Or, nous sommes aujourd'hui, en Europe, dans un scénario très proche de celui que le Japon a connu : choc patrimonial, recul du crédit après une période de fort endettement, faiblesse de la demande intérieure, stagnation des salaires et faiblesse de l'inflation…

La difficulté est qu'on ne peut plus attendre grand-chose des politiques traditionnelles. Les politiques économiques dites contra-cycliques, c'est-à-dire ayant pour objet de contrer la stagnation ou la récession, ont été massivement utilisées, en Europe comme en France, à partir de 2008. Elles ont atteint leur limite. L'arme budgétaire ne peut plus être utilisée compte tenu du niveau des déficits et des risques de crises de liquidités. Les taux d'intérêt, au sens des taux d'intervention de la BCE, sont au plus bas. Il n'y a pas de politique active de change… L'utilisation des politiques économiques traditionnelles ne peut donc suffire.

Il faut impérativement réinventer demain pour croître à nouveau, pour renouer avec la croissance de long terme.

De ce point de vue, deux logiques s'affrontent. Une logique libérale, fondée sur le laisser-faire, les privatisations, la concurrence et la déréglementation des marchés. Sa seule proposition est l'austérité. C'est celle défendue aujourd'hui par la « Troïka », le triangle FMI/BCE/Union européenne.

Face à cette logique libérale, il existe cependant une autre logique. Une stratégie de l'action, qui consiste précisément à ne plus accepter la fatalité, à ne plus se résigner, mais à mener au contraire des politiques innovantes visant au soutien de la croissance, à la réindustrialisation et à la création d'emplois qualifiés, à la réduction des inégalités... Une stratégie interventionniste et coopérative, juste et efficace.

Alors, comment agir ? Une demi-douzaine de grandes pistes de politique économique pourraient être explorées de toute urgence.

La première piste est de faire baisser l'euro

Elle consiste à mener enfin une politique de change active, et à refuser l'idée selon laquelle nous serions les seuls dans le monde à subir la variation de nos taux de change, sans pouvoir prendre d'initiative quelconque. La politique économique actuellement menée en Europe est très restrictive : elle conjugue une politique budgétaire d'austérité avec un euro surévalué. Ce haut niveau de l'euro pénalise nos exportations, donc notre croissance, à un moment où, de surcroît, la consommation intérieure européenne est faible. La BCE doit conduire une politique monétaire beaucoup plus expansionniste, en injectant plus de monnaie encore dans l'économie et en intervenant sur le marché des changes pour faire baisser l'euro. Comme le font les Etats-Unis ou le Royaume-Uni, avec pour objectif essentiel de stimuler des exportations sensibles aux taux de change. L'arme du change est une arme de politique économique que l'Europe a totalement abandonnée, oubliée, et avec laquelle il faut renouer. L'effet secondaire d'une telle politique monétaire plus active, l'inflation, sera lui-même bénéfique, comme nous l'avons vu, en réduisant le poids de la dette et en redistribuant la richesse entre les générations.

Pour ce faire, il faut modifier les statuts de la BCE, qui ne lui donnent aujourd'hui qu'une seule mission : la lutte contre l'inflation. Au contraire, là encore, des banques centrales américaine ou anglaise, elle n'a aujourd'hui aucun objectif de change et surtout aucun objectif d'économie réelle : baisse du chômage ou soutien à la croissance. L'idée simple sous-jacente à son statut actuel était que la stabilité des prix assurait *de facto* la stabilité financière et donc créait un environnement favorable à la croissance. Or, l'expérience des dernières années a montré que cette idée était fausse et que l'on ne pouvait plus se satisfaire de son statut actuel.

Donnons deux illustrations simples.

D'abord, la lutte stricte contre l'inflation, le maintien d'une hausse des prix systématiquement en dessous de 2 %, n'a empêché ni la formation de bulles spéculatives, ni l'excès d'endettement, ni la crise. La BCE a été confrontée continûment, de la création de l'euro à 2007, à un scénario qui lui paraissait improbable : une inflation faible, mais une envolée des prix des actifs (immobiliers, boursiers) et une hausse très rapide du crédit.

Elle a privilégié le seul objectif qui était le sien, la lutte contre l'inflation, et négligé les autres évolutions et menaces.

Ensuite, les interventions sur les dettes publiques européennes. Le mandat de la BCE ne comporte pas comme mission celui de régulateur des marchés financiers et lui interdit d'intervenir sur le marché des dettes souveraines des Etats de la zone euro – au contraire, là encore, de ce que peut faire par exemple la banque centrale américaine. La raison en est l'interdiction de ce que l'on appelle le financement monétaire du déficit budgétaire, autrement dit l'interdiction pour la BCE de financer les Etats. Or, la crise a montré les limites de cette interdiction et l'a heureusement conduite à intervenir sur les marchés de dette publique, empêchant ainsi les faillites d'Etat, en dehors de tout cadre réglementaire et institutionnel. Le montant de la dette publique européenne détenu par la BCE s'élevait ainsi à près de 200 milliards d'euros fin 2011, contre 75 milliards fin 2010, et quasiment rien trois ans auparavant.

Tout cela montre qu'il est nécessaire de redéfinir le rôle de la BCE. Il ne s'agit pas de remettre en cause son indépendance, mais d'élargir le champ de ses missions pour qu'elle prenne en compte les objectifs de croissance et d'emploi, lui permettre de jouer le rôle de « prêteur en dernier ressort » des Etats afin d'empêcher toute crise de liquidités, coordonner la politique monétaire et les autres politiques économiques, et la conduire à dialoguer avec les institutions démocratiquement responsables, gouvernements et parlements.

La deuxième piste est la réforme fiscale

Mythe pour certains, cauchemar pour d'autres, fantasme pour beaucoup, souvent évoquée mais jamais menée à bien, la réforme doit avoir pour objectif de parvenir à un système fiscal plus juste socialement et plus efficace économiquement. Elle doit reposer sur deux mesures principales.

Tout d'abord, la mesure, déjà évoquée, visant à égaliser les taxations des revenus du travail et du capital. Parce que la propension à consommer est plus élevée sur les revenus du travail que sur les revenus du capital, et parce que le patrimoine est principalement détenu par les hauts revenus. Une baisse de la taxation du travail et une hausse de la taxation des revenus du capital permettraient ainsi de soutenir la consommation des ménages, donc la croissance. Une plus forte taxation des revenus du capital pèserait d'abord sur les plus riches et favoriserait la redistribution entre les générations en allégeant d'autant le poids de l'impôt sur les plus jeunes. Elle serait juste socialement et efficace économiquement.

Autre mesure : la fusion de l'impôt sur le revenu et de la CSG. Le problème majeur de notre fiscalité est qu'elle ne contribue plus à la réduction des inégalités. Le poids de la fiscalité indirecte (la TVA) est élevé et pèse beaucoup plus, proportionnellement, sur les bas revenus que sur les hauts revenus. Elle représente ainsi 12 % du revenu des ménages les plus modestes contre 3 % seulement du revenu des ménages les plus aisés… La CSG est, elle, un impôt proportionnel, qui frappe tout le monde au même taux d'imposition quel que soit le revenu, contrairement à l'impôt progressif (l'impôt sur le revenu) qui, lui, est d'autant plus élevé que le revenu est élevé. Or, le poids de la fiscalité directe et progressive est faible. Le résultat est que l'impôt global payé par les citoyens n'est que faiblement progressif. Notre système fiscal a ainsi mis en place une machine à créer des inégalités.

Il est urgent d'imposer plus les ménages aisés, qui consomment une part plus faible de leur revenu, et de réduire l'imposition des revenus les plus faibles qui, eux, consomment proportionnellement plus. C'est, là encore, juste socialement et économiquement justifié. Une des voies possibles est de fusionner l'impôt sur le revenu et la CSG. Cela permettrait de rétablir une véritable citoyenneté fiscale, en prenant en compte l'ensemble des facultés contributives, c'est-à-dire les revenus des patrimoines de chaque contribuable, avec une assiette large et une véritable progressivité de l'impôt.

C'est pour cette raison que la TVA sociale est une mauvaise idée. Elle vise à réduire les charges sociales pour accroître la compétitivité de nos entreprises, et à compenser cette baisse par une hausse de la TVA. Il est juste de dire que la baisse des charges sociales permet d'accroître la compétitivité de nos entreprises. Mais il est injuste de la financer par une hausse de la TVA. La TVA est une taxe sur la consommation : plus on est pauvre, plus on consomme son revenu. Elle est donc antisociale. C'est une taxation de l'ensemble des revenus, y compris et surtout ceux du capital, qui devrait financer la baisse des charges sociales.

La troisième piste est la suppression des privilèges

Il faut éliminer tous les dispositifs qui ne génèrent que des effets d'aubaine, pour le dire autrement, tous les privilèges. Il y a un effet d'aubaine quand l'argent public est dépensé sans qu'il y ait d'impact économique mais qu'il bénéficie à certains et non à tous.

Commençons par supprimer ces privilèges dans nos finances publiques. Supprimons les paradis fiscaux qui existent en France et qui ont été systématiquement encouragés depuis dix ans : les niches fiscales, ces dispositifs dérogatoires qui permettent à certains de réduire le montant de leur impôt ou d'y échapper totalement. Quelques chiffres. On recensait 418 niches fiscales en 2003 contre près de 490 aujourd'hui… La France est le pays du G20 qui en compte le plus grand nombre. Leur coût est passé de 50 milliards d'euros en 2000 à près de 70 milliards d'euros aujourd'hui. Ces niches fiscales s'accompagnent de niches sociales – leur équivalent mais pour les prélèvements sociaux – avec un coût supplémentaire de près de 32 milliards d'euros.

La conséquence de tous ces privilèges et de tous ces avantages est que, là où de nouveau l'impôt payé devrait croître avec le revenu, pour se rapprocher du taux marginal d'imposition – la tranche la plus élevée de 40 % pour les contribuables les plus riches –, la réalité est inverse. Le taux d'imposition des 1 000 contribuables les plus aisés est de 24 % en moyenne et, pour les 10 contribuables les plus aisés, il est de 20 %. A cause des niches fiscales, l'impôt sur le revenu n'est plus progressif, mais régressif. Plus on dispose de revenus élevés, plus on utilise les niches fiscales pour réduire son impôt ! Plus on est riche, moins on paie d'impôts.

Il faut remettre en cause ces paradis fiscaux et, au minimum, en plafonner l'usage.

La quatrième piste est un meilleur partage des revenus

Nous l'avons vu, le partage des revenus s'est peu à peu déformé en Europe et en France au détriment des salariés et au profit des entreprises et du capital. Le résultat est que la profitabilité des entreprises et leur taux d'autofinancement sont redevenus élevés alors que l'investissement baisse. Cette hausse des profits conduit à une situation économiquement absurde : les entreprises accumulent des résultats et de la trésorerie, parfois en milliards d'euros, les profits dépassent les besoins d'investissement, des dividendes anormalement élevés sont distribués aux actionnaires.

Or, le problème actuel des économies européennes est précisément la faiblesse du pouvoir d'achat des ménages, en raison de la stagnation des salaires et du désendettement en cours. Là aussi, il faut agir : corriger cette évolution et déformer le partage des revenus dans un sens cette fois favorable aux salariés. Pour le dire autrement, et de façon simple, augmenter les salaires.

Et là aussi, deux stratégies de politique économique s'affrontent. La première, conservatrice, pense qu'il convient de soutenir l'offre des entreprises, qui serait insuffisante, par la réduction des coûts salariaux. Elle est aujourd'hui dominante en Europe. La seconde, proactive, consiste à dire qu'il faut à l'inverse soutenir la demande des ménages par des hausses plus rapides des salaires, à un moment où la consommation ne cesse de reculer et où les entreprises accumulent des profits records, stériles pour notre économie, se chiffrant parfois en dizaine de milliards d'euros...

Comment peuvent faire les gouvernements ? Ils peuvent d'une part agir sur ce que l'on appelle le partage primaire des revenus, à travers une concertation entre entreprises, syndicats et gouvernement, encourageant une hausse des salaires et une distribution aux salariés des gains de productivité. Et ils peuvent aussi, de nouveau, rééquilibrer le partage par la fiscalité, en réduisant la taxation des revenus du travail et en accroissant la taxation du capital, très faible, trop faible.

La cinquième piste est la réindustrialisation

Rappelons brièvement quelques chiffres. La part de marché de la France dans le commerce mondial a chuté de 60 % de 1995 à aujourd'hui. C'est la plus mauvaise performance des pays de l'OCDE. L'emploi industriel ne représente plus que 19 % de l'emploi total en France, contre près de 25 % en Allemagne ; l'industrie représente 19 % de la valeur ajoutée en France, contre 28 % en Allemagne ; la balance commerciale de la France est très déficitaire et se dégrade de manière continue.

Quelles sont les causes de cette désindustrialisation ? Contrairement à ce qui est souvent avancé, elles ne paraissent pas d'ordre macroéconomique. Lorsqu'on regarde l'environnement de la production industrielle, on s'aperçoit qu'il n'y a pas eu de différence majeure entre les pays européens depuis dix ou quinze ans : le salaire horaire est proche de celui de l'Allemagne, les coûts dans l'industrie n'ont pas progressé plus vite en France qu'en Allemagne, la durée effective du travail est comparable... Ce n'est pas notre compétitivité, comparée aux autres pays européens, qui est en cause. Les causes de la désindustrialisation française sont en réalité d'abord d'ordre microéconomique. En témoignent la vigueur et la force de nos très grandes entreprises et, à l'inverse, la faiblesse de nos entreprises de petite et moyenne tailles.

Comparons la France et l'Allemagne. La France compte autant d'entreprises de moins de 10 salariés que l'Allemagne, mais beaucoup moins de PME de taille supérieure : 166 000 entreprises de 10 à 50 salariés en France, contre 230 000 en Allemagne ; 28 000 entreprises de 50 à 250 salariés en France contre 47 000 en Allemagne ; enfin, 6 000 entreprises de plus 250 salariés en France, contre 10 000 en Allemagne. Les entreprises allemandes grandissent plus facilement que les entreprises françaises et créent plus d'emploi. Cinq ans après leur création, l'emploi des entreprises françaises croît ainsi en moyenne de 7 %, contre 22 %

en Allemagne. Cela explique le faible nombre relatif d'entreprises exportatrices en France par rapport à l'Allemagne : 245 000 entreprises allemandes exportent, contre seulement 95 000 pour la France. Plus l'entreprise est petite, plus il est coûteux et difficile d'explorer des marchés à l'étranger et d'exporter.

Une première explication de cette situation est une fiscalité pénalisante pour le développement des entreprises. Le niveau des charges sociales est devenu bien plus élevé en France qu'en Allemagne, en raison d'une politique volontariste en Allemagne de réduction des charges des entreprises. Les cotisations sociales étaient en 2004 au même niveau en Allemagne et en France ; elles sont aujourd'hui de 15 % du PIB en France, contre 12 % en Allemagne. La nature du financement des entreprises est également différente dans ces deux pays : il repose plus sur le crédit bancaire et moins sur le capital – c'est-à-dire l'appel au marché financier – en France qu'en Allemagne, ce qui ne pousse pas à la prise de risques.

Une deuxième explication réside dans le faible niveau de gamme de la production industrielle en France. Il résulte de la difficulté à transformer la recherche fondamentale en production, comme l'illustre le petit nombre de brevets déposés chaque année : 73 par an et par million d'habitants en Allemagne contre seulement 39 en France.

Alors, comment agir ? Bien sûr, il faut agir sur l'environnement économique : déprécier l'euro pour retrouver des parts de marché, réduire la pression fiscale sur les entreprises... Mais il faut aussi réinventer et réhabiliter la politique industrielle. Permettre à l'Etat de jouer le rôle qui doit être le sien : définir des politiques horizontales de compétitivité et mener des politiques verticales de dynamisation.

Il appartient à l'Etat de définir des politiques visant à accroître encore notre compétitivité. La concurrence entre les pays ne porte pas sur les seuls prélèvements publics, mais aussi sur le rapport qualité/prix des biens et services publics, déterminants pour la localisation des entreprises. La sphère publique doit donc aujourd'hui pleinement intégrer l'impératif de compétitivité, visant à améliorer la densité des réseaux d'infrastructures, la qualité de la formation, la créativité des laboratoires, le respect du droit... Bref, faire en sorte que la productivité d'un salarié ou d'une entreprise en France dépasse celle des autres pays.

L'Etat doit également mener des politiques actives de dynamisation et de restructuration industrielle. Il y a aujourd'hui en France une absence complète de politique industrielle et d'action de l'Etat en la matière. L'Etat avait contribué à la création d'EADS, champion européen de l'aéronautique et de la défense, à la création d'Areva, champion nucléaire français, à la création de GDF Suez, grand acteur de l'énergie... Il doit aujourd'hui continuer à jouer un rôle actif dans un certain nombre de secteurs stratégiques dans lesquels il est encore actionnaire, comme les télécoms, l'énergie ou la défense. L'Etat doit également accompagner et protéger les entreprises privées. Il doit tout faire pour maintenir le centre de gravité des entreprises en France. Ou en Europe. La nationalité d'une entreprise n'est pas quelque chose d'indifférent ou d'anodin. La nationalité d'une entreprise, qui résulte de la localisation de son centre de gravité, est difficile à appréhender, à apprécier, à mesurer exactement. C'est la somme d'un certain nombre de facteurs ou d'éléments tels que la localisation du siège social, la localisation des centres de recherche et de production, la nationalité du management et de l'actionnariat, etc. L'ensemble de ces éléments détermine la localisation du centre de gravité, qui est essentielle pour toutes les décisions touchant à l'emploi, à la croissance, à la création de richesse… Il faut donc non seulement mettre en place l'environnement économique le plus favorable possible (infrastructures, éducation, droit, fiscalité), mais aussi que l'Etat puisse intervenir directement avec les instruments qui sont les siens, comme des mesures de protection du capital d'entreprises présentes dans des secteurs sensibles (*golden shares* européennes).

La sixième et dernière piste est un projet européen fort

Au-delà de la nécessaire intégration financière, il faut un projet européen fédérateur. L'Europe ne doit pas être réduite aux seules questions économiques ni être perçue de manière systématiquement négative, ayant pour objet soit de surveiller et punir comme en matière budgétaire, soit de contraindre par les normes et les règles, soit enfin d'empêcher par les politiques de la concurrence. Il faut réinventer un projet européen, positif et ambitieux, porteur de sens.

L'Europe doit être synonyme de croissance forte, de progrès, de développement. Elle doit donner une perspective et une ambition aux citoyens européens. La meilleure façon de le faire c'est, évidemment, l'innovation et la connaissance.

Les pays d'Europe du Nord ont fait des efforts d'innovation beaucoup plus importants que les pays d'Europe du Sud. La comparaison du nombre de brevets déposés par an et par million d'habitants est parlante : 64 en Finlande, 55 aux Pays-Bas, 50 en Autriche... mais 5 en Espagne, 12 en Italie, 1 en Grèce ! L'objectif était que tous les pays européens aient un effort d'innovation élevé, de l'ordre de 3 % du PIB pour la recherche et le développement. On est très loin du compte. Dans une Europe intégrée, le progrès technique doit circuler librement, et les pays d'Europe du Sud, par exemple, doivent bénéficier des efforts de l'innovation et de la recherche qui sont faits dans l'Europe du Nord. Il est inutile de développer deux fois les mêmes brevets, ou de faire deux fois les mêmes efforts. La coordination et la mise en commun sont les clés.

L'Europe doit aussi favoriser une nouvelle percée technologique, qui se traduira par de nouveaux investissements, de nouveaux emplois, une hausse de la croissance. Les secteurs possibles sont multiples : les énergies renouvelables, les biotechnologies, le numérique, mais aussi des secteurs plus traditionnels comme l'agroalimentaire, les biens d'équipement, la santé... L'Europe a les instruments pour agir, pour peu qu'elle décide de les utiliser : financement en capital à long terme, incitations fiscales au soutien à la recherche, utilisation de ressources publiques nouvelles par des emprunts européens ou des impôts européens nouveaux comme une taxe carbone. Il faut multiplier les incitations et ne pas craindre d'être ambitieux dans ces domaines.

Bien sûr, cela fait beaucoup de « Il faut » ! Mais c'est précisément parce que l'Europe et la France ont été victimes, depuis des années, du laisser-faire et de l'inaction des pouvoirs publics qu'il est temps aujourd'hui d'en réhabiliter l'action.

Conclusion

L'Europe tout entière vit aujourd'hui dans le doute. Notre continent qui, pendant cinq siècles, a su inventer des idées et des biens qui ont transformé le monde en a perdu le secret de fabrication. Il ne sait plus s'il est capable d'inventer le monde de demain, il ne sait même plus s'il a un avenir commun.

Des deux termes de la formule de Schumpeter qui résumait le capitalisme, la « destruction créatrice », nous avons oublié le second, c'est-à-dire la création, et nous ne connaissons plus que le premier, la destruction. Pour beaucoup, le chômage est devenu la norme. L'espoir de s'insérer dans la société par le travail s'est évanoui. Des idéologies extrêmes fleurissent, dont un seul regard sur le monde suffirait pourtant à en démontrer l'absurdité. Nos sociétés pensaient avoir construit un équilibre dans lequel chaque génération pouvait légitimement espérer que ses enfants vivraient mieux. Elles sont aujourd'hui convaincues que cette promesse ne peut plus être tenue. Nos systèmes de négociations sociales sont en panne, nos systèmes de protection sociale sont menacés. La croyance dans le progrès s'est affaiblie. Beaucoup perçoivent le progrès technique comme un danger, le progrès économique comme un mensonge, le progrès social comme un mirage, le progrès démocratique comme un leurre.

Nous vivons une période charnière, de grand désarroi. Rien de ce qui semblait hier évident ne l'est plus aujourd'hui. Rien n'est là non plus pour nous indiquer les certitudes du futur. Les grands repères d'hier – la Nation, l'Etat, la Morale – semblent s'évanouir. Les grands espoirs de demain restent invisibles.

Il faut lutter contre ce doute, ravageur pour une Europe dont l'histoire s'est justement construite sur le progrès.

Quand une majorité de la population en vient à penser que demain risque d'être pire qu'aujourd'hui, la préservation de l'existant devient, à ses yeux, la seule stratégie possible. Chacun veut figer les choses le plus longtemps possible pour sauvegarder ses propres intérêts. Ce qui conduit à freiner, à empêcher, tout changement. La peur est la meilleure alliée des conservateurs. Elle nourrit la montée des égoïsmes : égoïsmes sociaux de la part de ceux qui peuvent ou croient pouvoir réussir en dépit des autres ou contre eux ; égoïsmes ethniques avec le rejet de l'autre rendu responsable de tous les maux ; égoïsmes nationaux lorsque chaque pays se persuade qu'il doit gagner contre ses partenaires.

Alors, comment aborder demain de manière nouvelle ?

Il faut inventer un nouveau monde. Il faut retrouver le sens du progrès. Le progrès non pas comme un automatisme ou un mot creux, mais comme une volonté. Il faut restaurer l'idée selon laquelle il est possible d'agir sur les choses. Ne jamais se résigner, ne jamais subir, ne jamais reculer. Il ne faut pas voir dans le marché une forme supérieurement efficace de coordination des actions individuelles. Aucune société ne peut s'auto-organiser par la seule vertu des marchés. Il faut donc se garder de l'illusion libérale d'une société qui n'aurait pas besoin de penser son devenir ni de définir ses régulations. Au contraire, il appartient à la politique de se réinventer, de définir de nouvelles règles et de nouvelles institutions.

Beaucoup pensent que, dans une économie dite mondialisée et libéralisée, les gouvernements seraient devenus impuissants. Ils se trompent. La crise et les réponses à la crise démontrent qu'il n'en est rien, qu'il existe de bonnes et de mauvaises politiques, qu'il existe de bons et de mauvais réglages.

Il faut agir dans trois domaines :

— la production, c'est-à-dire la croissance, et se dire qu'il n'y a pas de progrès ni de réduction des inégalités sans croissance ;

— la solidarité, qui est une méthode autant qu'une exigence. Il n'y a pas de progrès s'il ne profite à tous et s'il n'est accepté par tous. La solidarité en Europe, ce n'est pas seulement un passé glorieux, c'est notre clé pour demain ;

— l'action publique, parce que le génie de l'Europe, c'est d'abord celui d'un projet collectif et d'un destin commun.

La production et la croissance, d'abord, pour arriver au plein emploi. Cela peut passer pour une utopie, ce n'en est pas une. La société de plein emploi vers laquelle nous devons tendre ne sera pas celle des années 1960. Ce ne sera pas une société sans chômage. Mais ce sera, ou cela doit être, une société dans laquelle le chômage dure peu. Une société de mobilité dans laquelle chaque salarié peut se dire qu'il va progresser. Le contraire d'une société de castes dans laquelle chacun conserve des décennies durant le même métier ou le même grade. Une société où chacun apprend et réapprend en permanence. Cela suppose de changer radicalement notre relation au travail et au métier.

Il faut rénover la solidarité. Elle est un trait distinctif de l'Europe et des sociétés européennes. Ceux qui ont fait de l'individualisme leur bannière se refusent à comprendre que nous autres, Européens, avons du contrat social une conception plus riche que la leur, fondée sur l'existence d'un bien commun qui ne se réduit pas à la somme des intérêts individuels. Nous devons être fiers de ce que nous avons construit : accès de tous aux soins médicaux, fin de la pauvreté des personnes âgées, solidarité à l'égard de ceux qui n'ont pas d'emploi. Une économie plus exposée aux changements techniques, à l'apparition de nouvelles concurrences, est aussi plus dure. Elle requiert donc que les perdants du progrès puissent compter sur la solidarité de ceux auxquels il bénéficie.

Enfin, il faut réinventer le service public, l'action publique, c'est-à-dire le rôle de l'Etat. Ce qui compte, ce n'est pas le montant de l'impôt payé, c'est la comparaison entre l'impôt et la qualité des biens et services publics proposés en échange : éducation, formation, santé, sécurité, routes, voies ferrées, réseaux de communication... C'est la capacité de l'Etat à favoriser la création de richesse, à assurer une redistribution juste et efficace, à réduire les inégalités.

Le principe clé sur lequel doit reposer ce projet est celui de l'égalité. L'époque actuelle se caractérise par une montée sans précédent des inégalités. C'est un fait nouveau, y compris sur longue période. Pour reprendre l'expression de Necker, l'égalité avait été l'idée même de la Révolution. Or, c'est le développement des inégalités qui est aujourd'hui la force agissante et transformante du monde. Elle n'a cessé de s'accélérer depuis des décennies. Inégalités entre les pays, entre les régions du monde, entre les classes sociales, entre les générations, etc. Le résultat est une dissolution du sentiment de l'appartenance à un monde commun. Un monde désormais miné par les inégalités sociales, une sécession des riches et une révolte de ceux qui se sentent à l'inverse oubliés, méprisés, rejetés ou abandonnés. Et dont les seules armes sont leur malheur et la force de leur indignation.

Il faut renouer avec ce qui était le projet révolutionnaire : l'égalité, c'est-à-dire une façon de construire la société, de produire ensemble, de vivre en commun et de faire vivre le bien commun. Il s'agit de refonder, selon l'expression de Pierre Rosanvallon, une « société des égaux ». Une société dans laquelle chacun a les mêmes droits, chacun est reconnu et respecté comme étant aussi important que les autres. Une société qui donne du sens et permet à chacun de changer sa vie.

Table

TROISIÈME PARTIE

La révolution à inventer : le renversement des valeurs